OHSAMA
BUNKO

R25
［アールニジュウゴ］

「酒肴道場」

荻原和歌

三笠書房

はじめに——毎日がもっと楽しくなる！「簡単レシピ」の決定版！

はじめまして、『R25【アールニジュウゴ】』でおなじみの和歌ネエこと荻原《おぎわら》和歌《わか》です。

私は晩酌《ばんしゃく》が大好きです。

一日を振り返りながらゆっくり過ごせる時間があるのがいいのよね。

ひとりでしみじみ飲むもよし、友人や家族と一緒に今日の出来事を話しながら飲むもよし。そんなときに「ちょっといいつまみ」は必需品でしょう？

「作ってくれる奥さんや彼女がいない？」

あら、寂しいことを言わないで。

あなたの手であなたをねぎらったらよいではないですか。

「えー、面倒くさい。ならいつものコンビニでいいよ」

ちょっ！　ちょっと待って！　絶対面倒くさくないから！

なぜならば、私は超テキトーの面倒くさがりだからです。

おいしいものを食べたいんだけど、洗い物も計量も嫌い。つまり、

「パッとできて、なるべく鍋を汚さない料理」

が信条なのです。さらに言うなら、

「計量しなくてよくて、ごみも少なくて、その割にはおいしい」

を追求しています。

プロの料理人やまじめな主婦の方が聞いたらあきれられそうですが、真剣です。

プロの料理を食べたいときにはお店にいけばいい。

家では手ばやくおいしく体が休まるものを食べたい！

もはや男だから女だから料理をするというものではありません。

誰でも、自分のためにちょっとした料理くらいできたほうがかっこいいのです。

毎日じゃなくていい。たまには自分で作ってみる。

作ろうと思えばささっと作れる自分である。
これは、なかなかかっこいい。
しかも、外食で不足しがちな野菜を補うこともできる。
そして男女問わず「してあげられる」余裕と技術のある人はモテる！
あと、料理には見過ごせない面がもう一つ。段取り上手になるってこと。
仕事ができる人は段取り上手。だから仕事ができる人はやればぜったい料理がうまい。
もしそうじゃなくても、料理がうまくなると、仕事の段取りがよくなる。
どう？　ちょっとやってみたくなってきたでしょ？
材料が買えない？　大丈夫！

コンビニで売っているものでもできるし、
たぶん、おうちの冷蔵庫の中のものだけでもできるから！

◎もくじ

第2章 5分おかず！（冷）

まずは、こんなさっぱりのひと皿で！

第3章 5分おかず！・（温）
定番あり、目からウロコのメニューあり

第4章 15分ごちそう！ いつもの素材で豪華メインディッシュ風

第5章 〆の一品！

気分に合わせて、おなかに合わせて

写真◉大久保聡
スタイリング◉たかはしよしこ
カロリー計算◉大越郷子
本文イラスト◉小泉智稔

第1章

1分つまみ!

切るだけ、混ぜるだけ、かけるだけ!?

正直な話、さんざ酔っぱらった後に口寂しくなって作ったつまみも多いの(笑)。酔っぱらいが刃物を持つのって怖いから、そういうときは包丁はやめて、ちぎるかキッチンばさみに持ちかえること。包丁が苦手な人や、子供に料理のお手伝いをさせたいときにも便利なはずよ。

とりあえずこれでちょっと飲んでて！　というときのつまみ

外で飲んできたけど、家でゆっくりもう一杯飲みたいときのつまみ

だらだら飲み続けるときの軽めのつまみ

この章には、そういう「ささっと作れるつまみ」をまとめました。
1分つまみとうたっているけれど、**3秒で作れる**ものもあるの。
なにしろ3秒ですからね。

「切るだけ」「混ぜるだけ」「かけるだけ」

それって料理なの？　よく言われます。
和歌ネエは料理だと思うわよ。
食べるために頭と手を動かしたんだから。
料理が苦手と思っている人でも、これなら絶対にできる！
大丈夫！　焼かなくても、煮なくても、つまみは作れるわ。

豆腐とお刺身が大変身！

鰹《かつお》のバルサミコ

140kcal
（写真の分量）

①
鰹のさくと豆腐を食べやすい大きさに切る。

②
青ジソを添え、塩とバルサミコをかける。お好みでこしょうをかけてもOK。

Point 1

シソはちぎればOK。多少見た目が悪くても、ちぎった方が香りがよく立つの。

Point 2

バルサミコはしょうゆ感覚で使ってみて。ワンランク上を狙うなら、とろみが出るまでバルサミコを2〜3分煮詰めるといいわ。

材料

鰹のさく…適宜
豆腐（木綿か絹かはお好みで）…適宜
塩・バルサミコ…適宜
青ジソ（あれば）…適宜
こしょう（お好みで）…適宜

明太・ゆずこしょうの粋つまみ

山紅葉

41kcal
（写真の分量）

材料

明太子…1はら
ゆずこしょう…耳かき1杯くらい

① 材料をすべて混ぜるだけ！

※ゆずこしょうは予想以上にしょっぱいもの。意識して少なめにして。
※薬味として温奴《おんやっこ》にのせてもおいしくいただけるわよ。

満腹、でももうちょっと飲みたい、というときにおすすめ♥

包丁いらずですぐできる！

きゅうりの即席和え

53kcal
（写真の分量）

■材料■
きゅうり…食べたいだけ、炒りゴマ…少々
塩…きゅうり1本に対してひとつまみ
ゴマ油・一味唐辛子（ラー油でも可）…少々

① 洗ったきゅうりを、丈夫なコップや、すりこぎなどかたいものでたたき、食べやすい大きさに折る。

② 塩、ゴマ油、一味唐辛子、炒りゴマで和える。

※「たたく」っていうのは、「グシャ」ではなくて「ゴッ」っていう感じの、真芯をとらえる感覚よ。

シャキシャキの歯ごたえ!

長芋キムチ和え

62kcal
(写真の分量)

① 長芋の皮をむき、拍子木《ひょうしぎ》切りにする。

② ボウルに酢水を作り①を入れ、1～2分置く。

③ ②の水気を切って、キムチと和える。

おしんこの代わりに
こんなつまみもいいわよね～

Point 1

長芋は繊維にそって切るとシャクシャクした歯ざわりがアップ。酢水にさらすと変色が防げます。酢水は、ボウルにおちょこ1杯分ほどの酢をたらせばOK!

Point 2

長芋の水気はよく切って和えて。和えるだけなんだけど、これが案外ハマる味なのよ。写真で添えた緑はアサツキですが、なくてもかまいません。

材料

長芋…適宜（5cmくらいで十分）
キムチ…適宜
酢…少々

ひとクセある大人つまみ

クリームチーズの塩辛和え

196kcal
（写真の分量）

材料

クリームチーズ・塩辛…適宜

① クリームチーズを食べやすい大きさに切り、塩辛を添える。

※クリームチーズがかたくて扱いづらいときは、包みから出してレンジで5～10秒加熱してみて。包丁を軽くぬらしておくと切りやすいわ。
※お好みでブルーチーズを使ってもおいしい！

ニンニクが隠し味よ〜
簡単煮卵

87kcal
（写真の分量）

材料

ゆで卵…食べたいだけ
A（しょうゆ・水…各100cc）
ニンニク…ひとかけ、鷹の爪（あれば）…1本

①ニンニクの皮をむき、たたく。

②殻《から》をむいたゆで卵と①、Aを（あれば鷹の爪も）ビニール袋に入れる。空気を抜き、密封して半日以上置く。作り置きするときは冷蔵庫へ。

※ニンニクは、包丁の面を使ってバン！　とたたきつぶすと風味がよく出るわ。

切るだけ、混ぜるだけ！

野菜のバジルソース

256kcal
（写真を4人分として1人分で計算）

■材料■
カラーピーマン、アスパラガスなど好きな野菜・マヨネーズ・ジェノベーゼソース…適宜

① アスパラガスはゆで、ほかの野菜は食べやすい大きさに切る。

② マヨネーズとジェノベーゼソースを3：1の割合で混ぜてソースを作り、盛りつけてできあがり！

※ジェノベーゼソースとは、ジェノバ発祥のバジルソースのこと。パスタソースのコーナーに置いてあるわ。このほか、マヨ×マスタード、マヨ×わさび、マヨ×ゆずこしょうの組み合わせもおすすめ。

ネギの甘みを引き出して

ネギのマリネ

136kcal
（材料の分量）

■材料■
赤ネギ…1本（白長ネギでもOK）
オリーブオイル・塩・レモン…少々

① フライパンを熱し、ネギを焦げ目がつくまで焼き、3〜4㎝程度のブツ切りにする。

② 器に盛りつけ、塩とオリーブオイル、レモンをかけていただく。

チーズのおかかしょうゆ

簡単なのに後引く旨さ

227kcal
（写真の分量）

材料

クリームチーズ…食べたいだけ
しょうゆ・かつお節…少々

① クリームチーズを1㎝角のサイコロに切り、かつお節としょうゆで和える。

※チーズはカッテージチーズ、プロセスチーズでもOK！
※お好みでのりをのせてもオツな味に！

日本酒が止まらない……
塩辛納豆おろし

94kcal
（写真の分量）

■材料■
大根おろし・納豆・塩辛…適宜
ゆず皮（あれば）…少々

①大根おろし、納豆、塩辛を食べたいように盛りつければ完成！

※ゆず皮を刻んでのせると、香りがいいわ。

酒飲みの胃袋をわしづかみね。
実はごはんとの相性もバツグン！

次の日もおいしい作り置き系

長芋のぽたぽた焼き

79kcal
（1人分を長芋1／10本分として計算）

Point 1

長芋の皮をむくのが嫌だって人、多いでしょ?　清潔なタワシか食器用スポンジのかたい面でこすれば簡単に皮が取れます。ぬめりが嫌な人は手に粗塩をまぶすといいわ。

Point 2

煮汁がねっとりとしてきたらそろそろ。こんな感じの煮詰まり具合を目安にしてね。砂糖としょうゆの割合は1:2で。厳密に計らなくても大丈夫!

※作った後にいったん冷ますと、味がしみておいしいわ。

※２～３日は保存できます。

■材料■

長芋…1本、水・油（色の薄いゴマ油がおすすめ）…50cc
しょうゆ…100cc、砂糖…大さじ3

① 長芋を洗い、水気をとっておく。

② 鍋を熱して油を引き、①の表面を焼きつける。

③ しょうゆと砂糖、水を入れ、沸騰したら弱火にかえて煮る。煮汁が煮詰まったらできあがり！

ちょっとひと手間で「地中海気分」！

タコのスペイン和え

138kcal（写真の分量）

■材料■
タコ…食べたいだけ
A（オリーブオイル・塩…適宜
おろしニンニク…1／2〜1かけ分
カイエンペッパー（一味唐辛子でも可）…少々

① タコは必ずよく洗い、食べやすい大きさに切る。

② ①とAを合わせる。

※パプリカの粉や刻みパセリを加えるとグレードアップ！

超簡単！　ちぎるだけ！
キャベツの手もみサラダ

44kcal
（材料の分量）

材料
キャベツの葉…2～3枚
塩…少々
レモン…1切れ
かつお節…1パック

① キャベツは洗って手でひとくち大にちぎり、塩をふって軽くもむ。

② しんなりしてきたらレモンをしぼり、かつお節と和える。

※生キャベツがあまり好きではないという人は①と②の間に「レンジで30秒加熱」という手順を挟むといいわよ。

目からウロコの爽快な後味！

ミントきゅうり

63kcal（1人分をきゅうり1／2本分として計算）

① きゅうりを洗い、しま模様に皮をむき、軽く塩をすり込んで食べやすい大きさに切る。

② きゅうりに切り込みを入れ、ミントの葉を1枚ずつ挟む。

③ 仕あげにお好みでオリーブオイルかゴマ油を少々ふりかける。

ウイスキーやラム、焼酎など、蒸留酒やカクテルとの相性がバッグン！

Point 1

ミントの香りを立たせたい場合は、手のひらでたたくといいわ。

Point 2

ミントの葉はうぶ毛が生えていて舌ざわりが悪いので、必ずきゅうりに挟むこと。こうすることで口当たりがよくなります。

■材料■

きゅうり…1本、ミント…5〜6枚
塩…適宜、オリーブオイルまたはゴマ油（お好みで）…少々

真の酒飲みに捧げます♥

鶯宿梅《おうしゅくばい》

15kcal
（写真の分量）

① 梅干しの種を取り、ペースト状になるまでたたく。

② ①とほぼ同量のわさびを混ぜる。

梅の赤とわさびの緑を、梅に宿った鶯《うぐいす》にたとえて「鶯宿梅」。私なら2合はいけちゃうかも。危険な肴《さかな》です

展開メニュー

イカの鶯宿梅和え

お刺身との相性もいいのよ。

■材料■

梅干し…1～2個（梅ペーストでも可）
わさび…梅干しの果肉と同量

酢トマト

かけるだけ！　3秒で完成！

19kcal
（写真の分量）

■材料■
トマト…食べたいだけ
酢…適宜

① トマトを食べやすい大きさに切って、お酢をかける。

トマト農家に教わった食べ方だけあって美味！お塩もいらないのよ。お試しあれ！

チーズ磯辺巻き

材料を巻いたらできあがり！

166kcal
（写真の分量）

材料
切れてるチーズ・のり…食べたいだけ
わさび…適宜

① チーズにわさびをちょっぴりつけてのりで巻けばできあがり！

わさびをつけすぎると間違いなく大変な目に！
でもこれを逆手に取って、ロシアンルーレットのようなゲームをやると盛りあがるかも!?

トロッとした食感

炙《あぶ》りパプリカ

96kcal
（1人分をパプリカ1／3個分として計算）

①パプリカを４つに割り、種と軸を取りのぞき、少量のオリーブオイルを表面になじませる。

②①をグリルで焼く。皮が黒く焦げたら取り出し、薄皮を取りのぞく。

③チーズを添える。お好みで黒こしょうをかけてもOK。

Point 1

パプリカはこのぐらいになるまで、魚焼きグリルやオーブントースターで焼きます。薄皮は、竹串や箸ですーっと皮を破いてから手でむくと簡単!

Point 2

チーズの薄切りは、野菜の皮むきなどに使うピーラーを使うと便利。

■材料■

パプリカ…1個（色はどれでもよい）
オリーブオイル…適宜
チーズ（ここではパルミジャーノレッジャーノを使用）…適宜
黒こしょう（お好みで）…少々

酒肴道場コラム1

計量しなくてもいいんじゃない？

だって、私たちの味覚は毎日変わっている！
そして、個人の味覚もそれぞれ違う！

同じ味を再現しなくてはならないとき、厳密な味を算出したいときは、たしかに計量が必要でしょう。
でも、家でちょっと作るだけのときにいちいちスプーンで計量しなくてもいいんじゃないの〜？　と思います。

そもそも私の料理自体、「1ドボ」とか「1チャポ」というような目分量計算で作っているものがほとんど。厳密に分量を守らなければダメという料理はないのです。だからどうぞおおらかに、自分の塩《あん》梅《ばい》を見つけていただければと思います。

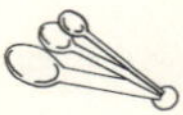

疲れているときはしょっぱいもの、ストレスがかかっているときは味の強いものを好みますよね。

そうそう、酒が進んだときも味の強いものがおいしいです。

私は、東北の出身で、料理に砂糖を使わない家庭で育ちました。ところが四国の某県では料理に砂糖をたくさん使うのだとか。ね、人によって好みが違って当然ですよね。

だから、一度作ってみて、薄味に感じたなら、塩かしょうゆを足してみてください。甘みが足りないと感じたのならしょうゆの前に砂糖を入れて。

ただ、俗に言うさしすせその順番（酒／砂糖、塩、酢、しょうゆ、味噌）は、守りましょう。これは、調味料の分子の大きさによって素材への味の入りやすさが違うからです。

第2章

5分おかず!(冷)

まずは、こんなさっぱりの
ひと皿で!

「もたれないけど、目先が変わる味」っていうのかしら。香り高い野菜を使ったり、アクセントになる薬味を仕込んだり、そういう味が好きです。だって、こういうつまみってお酒が進むんですもの。酒飲みの皆さんにはきっと共感してもらえます……よね?

1分つまみよりもおなかにたまるおかず
野菜を摂りたいときのクイックつまみ
さっぱりしたものがほしいときのつまみ

「おなかが減ると待てない」でしょ？
だから5分でできるメニューが重宝するのよね！
5分で作れるつまみはたくさんあるほうが便利なので、2章分ご用意しました。
この章では冷製を中心にさっぱりしたものをご紹介します。

「切るだけ」「混ぜるだけ」「かけるだけ」
はここでも大活躍です。スパイスや調味料の組み合わせをちょっとひねるだけで
「これどうやって作るの？」のほめられメニューに大変身。

簡単に作れるけどセンスをほめられちゃう。
そういうの、いいでしょ？

市販の唐揚げでひと工夫

メキシカンサラダ

399kcal
（写真の分量）

Point 1

唐揚げやスモークチキンなど、でき合い総菜をうまく味方につけるのも酒肴《しゅこう》のコツ。唐揚げはオーブンやオーブントースターで軽く温めてからの方がおいしいわ。

Point 2

アボカドは縦に1周包丁を入れて、くるっとひねるとパカッと割れるわ。種は包丁の根元部分を突き立ててひねり取ります。

材料

唐揚げ（市販品でOK、スモークチキンでも可）…1人前
レタスやベビーリーフなど、生食できる葉もの野菜
…食べたいだけ
プチトマト…4〜5個、アボカド…1／2個
トルティーヤチップス…適宜

① 葉もの野菜とプチトマトを洗い、水気を切る。

② プチトマトとアボカドを食べやすい大きさに切る。

③ 材料を盛りつける。

※味がもの足りない人は、お好みでサウザンアイランドドレッシングで味をつけてね!

苦みをおいしくいただく簡単サラダ

ゴーヤと豚のしゃぶしゃぶ

226kcal
（材料の分量）

① ゴーヤは縦半分に割って種とわたを取りのぞき、2～3㎜にスライスする。ひとつまみの塩で軽くもみ、しんなりさせる。

② 小鍋に調理用酒を入れた湯を沸かし、豚肉を1枚ずつしゃぶしゃぶにして氷水に取り、水気を切っておく。

③ ①をボウルの中で水に軽くさらして、水気を切り、②とともにAで和える。

※すっぱいのが嫌いな人は、酢を抜いて芥子《からし》じょうゆでどうぞ。

Point 1

面倒でも1枚1枚鍋に入れてすぐに引きあげるのが成功のコツ。一気に入れると肉同士がくっつきます。豚肉は氷水に取ることで身がきゅっと引き締まっておいしくなるの。

Point 2

ゴーヤは塩でもむことで独特の苦みが薄れるのよ。緑色の汁が出てくるまでもむのが目安。その後、水の中で軽く洗うようにしてさらすと、苦みはかなり和らぐはず。

■材料■

ゴーヤ…1／2本、豚スライス肉…1パック（小）
A（芥子…少々、しょうゆ…大さじ1、酢…小さじ1）
調理用酒・塩…適宜

ローカロリーで高たんぱく
リンゴとキドニービーンズのサラダ

292kcal
（材料の分量）

■材料■
リンゴ…1／2個
キドニービーンズ…1缶（中くらいの缶）
カッテージチーズ…1／2パックくらい
塩・オリーブオイル…適宜
イタリアンパセリ（あれば）…少々

① リンゴの皮をむいて、くし形に切ってから、いちょう切りにする。

② ①を濃いめの塩水にサッとさらして色止めをし、水気を切る。

③ ボウルに②を入れ、キドニービーンズとカッテージチーズ、オリーブオイルを加え、和える。味をみて塩を足してもOK。

④ あればイタリアンパセリのみじん切りを彩りに添えてどうぞ。

1分で作れる「割烹《かっぽう》」の味

ほろ酔いしめじ

20kcal
（写真の分量）

材料

しめじ…1パック、酒…大さじ1
塩…適宜、ゆず皮（あれば）…少々

① しめじはいしづき（根元のかたい部分）を外し、房をばらす。

② 耐熱容器に①と酒、塩を入れ、レンジで1分加熱する。

③ あれば、ゆず皮を細かく切って散らして完成！

※②では、アルコール分を飛ばすためにも、必ずフタをするとき隙間をあけておいて。ここが風味を左右します。

電子レンジでパパッと作れる!

インディアンポテト

111kcal
（材料の分量）

①じゃがいもはよく洗い、ビニール袋やラップでくるんでレンジで5分加熱。

②火が通っていることを確認して皮をむき、２㎝角程度の大きさに切る。

③②をボウルに入れ、塩とカレー粉で和える。あればパセリのみじん切りを散らす。

Point 1

おなかがすいていると、ゆでる時間さえもどかしい。そんなときは電子レンジにおまかせ!

Point 2

カレー粉にはターメリック（ウコン）がたっぷり含まれているから、肝臓にも優しいわね。味を確実に均一にしたいなら、カレー粉と塩をあらかじめ混ぜておくひと手間が有効。

■材料■

じゃがいも…1個
カレー粉…小さじ1くらい（目分量でOK）、塩…適宜
パセリ（あれば）…少々

お肉が恋しくなっちゃう⁉

大至急焼き肉注文サラダ

77kcal
（1人分をきゅうり1本分として計算）

①わかめは水でもどして食べやすい大きさに切る。ネギは斜め薄切りにする。

②きゅうりはまな板の上でたたき、軽く塩をふって、食べやすい大きさに折る。

③ボウルにAを合わせ、①と②を和える。

材料

きゅうり…2本、ネギ（あれば）…3㎝くらい

わかめ…適宜、塩…適宜（ふたつまみが目安）

A（酢…大さじ1、ラー油・ゴマ油…小さじ1・5）

Point 1

きゅうりはこんな風に回転させながら、丈夫なコップやすりこぎなどでたたいて。

Point 2

わかめは水でもどす乾燥タイプがポピュラーね。お刺身売り場で売っている生のわかめなら洗うだけで使えて便利よ。

お寿司屋さんのお楽しみメニュー

宝納豆

248kcal
(写真の分量)

Point 1

正式には塩で軽くもんでから湯通しするんだけど、パッケージの上からダイレクトに熱湯をかけて湯通ししちゃうことも。

Point 2

生じょうゆを回しかけたら、すべての材料を一気に混ぜてめしあがれ。ちなみにこのお刺身の内訳は、鰹《かつお》、中トロ、あじ、イカ、サーモン。

■材料■

刺身パック…適宜、納豆…1パック
オクラ（あれば）…2〜3本
とんぶり（あれば）…適宜
生じょうゆ…適宜

① オクラは湯通しして小口《こぐち》切りにし、納豆はよくかき混ぜる。

② 刺身、納豆、オクラ、とんぶりを盛りつけて生《き》じょうゆを回しかけ、かき混ぜてどうぞ。

※湯通しとは、数秒間熱湯にくぐらせること。面倒くさい人は沸騰したてのポットのお湯をかけてもOK。

お父さんにも大人気!

そばサラダ

156kcal
（1人分をそば20g分として計算）

①わかめをもどしてひとくち大に切る。葉もの野菜は食べやすくちぎっておく。

②そばをゆで、よく洗う。

③ボウルにA、①、②を入れて和える。

材料

そば…1束（80〜100gが目安）
わかめ・サラダに使える葉もの野菜…適宜
A（塩・こしょう…少々、ゴマ油…大さじ3、めんつゆ…大さじ1弱）

Point 1

そばは乾麺で十分。その代わり、ゆであがったそばは水にさらした後、しっかり洗ってぬめりを取って。ツルツルとしたのどごしはここで決まるのです。

Point 2

野菜半分、そば半分くらいの気持ちでね。そばつゆは隠し味程度に。あくまでもゴマ油と塩がメイン。ゆっくり溶けるよう、大きめの粒の塩を選ぶとそばが引き立ちます。

シンプルに素材の味を楽しんで

しいたけの塩水焼き

11kcal
（写真の分量）

① しいたけのいしづき（根元のかたい部分）を切り落とす。

② 濃いめの食塩水を作り、①をくぐらせて、グリルで両面を焼いたらできあがり！

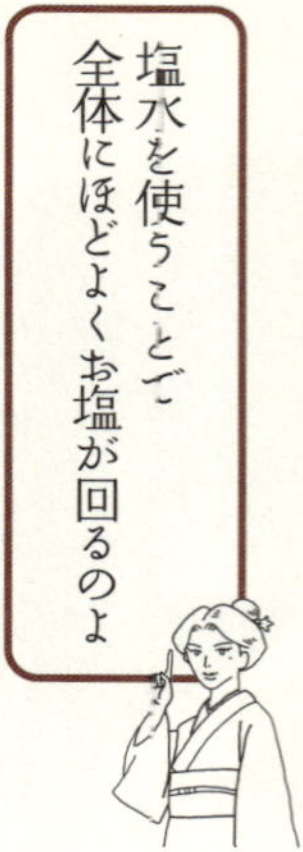
塩水を使うことで
全体にほどよくお塩が回るのよ

Point 1

塩水の目安は水2カップに塩大さじ1強。海水と同じくらいの塩辛さが目標です。この濃度の塩水は立て塩といって、いろんなことに応用可能なの。覚えておくと便利ね。

Point 2

焼き加減の目安はひと回り縮むくらい。焼きすぎるとかたくなるので、もう少し焼きたいところでストップするといいわね。

■材料■

しいたけ…食べたいだけ
塩・水…適宜

料理に添えても◎の簡単スナック！

チーズせんべい

271kcal
（写真の分量）

① 溶けるチーズに小麦粉をまぶす。

② フライパンに丸く置き、弱火で両面を焼く。

乾燥剤と一緒に
密封容器に入れれば
保存もできるわ

Point 1

フライパンにのせるときはこんな感じ。小麦粉は少なめで、軽くはたいてから作るといいわね。

Point 2

焼きたては少々柔らかく、冷めるとパリッとかたくなります。しっかり色がつくまで焼くと焦げくさくなってしまうので焼きすぎには気をつけて。

■材料■

溶けるチーズ…適宜
小麦粉…大さじ1程度

ひんやり、つるるん

涼《りょう》葛《くず》豆腐

175kcal（1人分を2／3丁分として計算）

① 豆腐は食べやすい大きさに切り、片栗粉をまぶす。

② ①を鍋に沸かした湯にくぐらせて氷水に取り、山椒《さんしょう》と塩を添える。

※ゆずこしょうや梅しょうゆでもおいしいわ。

Point 1

天ぷらの衣をつけるみたいにつけて、片端から鍋に入れていくの。片栗粉を溶かさずに、豆腐の表面にまぶしてハケではらうという方法もあるわ。

Point 2

豆腐を氷水に取ることで、ゼリー状になった片栗粉が、ひんやりツルツルの舌ざわりに。

■材料■

絹ごし豆腐…1パック
片栗粉…大さじ3
山椒・塩…適宜

市販のドレッシングでOK

ラーメンサラダ

435kcal（材料の分量）

① トマトときゅうりは細長く食べやすい大きさに切る。

② 中華麺を袋の表示にしたがってゆでる。ゆであがったらざるにあげて水で冷ます。

③ 水気を切った②に、①とドレッシングを合わせ、あれば白ゴマをふってできあがり！

Point 1

ゆであがった麺はざるにあげて水でぬめりを取りましょう。水気が残っているとおいしくないから、水はしっかり切ってね。

Point 2

いろいろ試したけど、サウザンアイランドドレッシングが一番おすすめです。かけすぎはおいしくないので注意してね。お好みでゆで卵やハムを入れてもおいしいわよ。

■材料■

中華麺…1玉（細い麺がおすすめ）、トマト・きゅうり…適宜
サウザンアイランドドレッシング…大さじ2
白ゴマ（あれば）…少々

あっという間にできちゃう！

ニラのおひたし

36kcal
（材料の分量）

① ニラをさっとゆがく。

② ①を食べやすい大きさに切り、酢じょうゆで味をつける。

※おかかじょうゆでもおいしい！

ニラってすぐ火が通る扱いやすい野菜。炒める人が多いけど、おひたしもいけるのよ

Point 1

急いでいるときは底面積の広いフライパンがおすすめ。根元から入れて、全体が湯につかったらさっと引きあげて。

Point 2

すぐに食べるのなら湯からあげたらすぐ切り分けて。後で食べるなら、水にさらして色止めするといいわ。

■材料■

ニラ…1束
しょうゆ・酢…適宜

ゆでたてをたっぷり食べて♥

ラー油もやし

67kcal
（1人分をもやし1／2パック分として計算）

①ボウルに塩ひとつまみとおろしニンニク、ラー油を入れる。

②もやしをゆで、熱々のうちに①と和える。

ラーメンのトッピングにもおすすめよ～

Point 1

ゆであがりの目安は、もやしに透明感が出る頃。余熱を計算に入れて、すこしはやいくらいで引きあげるつもりで。

Point 2

ゆであげたもやしは水にさらしません。熱々で和えると油が全体に回りやすく、味もなじみやすいの。

■材料■

豆もやし（普通のもやしでも可）…1パック
おろしニンニク…1／2かけ分
ラー油…適宜（ゴマ油と一味唐辛子でも可）
塩…適宜

はずさない組み合わせ

ツナのアボカドボート

384kcal
（材料の分量）

Point 1

アボカドは縦に包丁を1回転させたらひねって割ります。種は包丁の根元部分を突き立ててひねると取れるわ。

Point 2

アボカドの実を取り出すときは、スプーンを使うと楽。これだと手もあまり汚れなくてすむのよね。

ツナをエビにかえても
おいしいわ

材料

ツナ缶…1缶、アボカド…1／2個
レモン…1／4個（濃縮レモン果汁小さじ1〜2でも可）
レタス・マヨネーズ・黒こしょう…適宜
オリーブ・パセリ（あれば）…少々

① アボカドを２つに割り、スプーンで実を取り出す。

② ツナ缶とアボカドにレモン汁をかけて、マヨネーズと黒こしょうをかけて混ぜる。

③ ひとくち大にちぎったレタスと一緒にアボカドの皮に盛りつける。あればオリーブやパセリなどを添えてもOK！

お料理上手に見える特製ダレ

ナスの中華サラダ

100kcal
（1人分をナス1本分として計算）

① ナスはヘタを落とし、縦に半分に割り、皿に並べる。油でさっと和えたらラップをして、レンジで5分加熱。

② ショウガとニンニク、長ネギをみじん切りにし、しょうゆにひたす。

③ ①に②をかけて完成！

※お好みでタレにゴマや干しエビを加えても。

Point 1

ナスを和えるときは、皮に油がつくようにすると仕あがりがキレイになります。皿に平たく並べるのがこの場合の加熱のコツ。レンジだと油が少なくてすむのでヘルシー。

Point 2

タレは、みじん切りにした野菜がしょうゆにひたるくらいを目安に。

■材料■

ナス…3本
ニンニク・ショウガ…各1かけ
長ネギ…5cm
しょうゆ…適宜
サラダ油またはゴマ油…大さじ2

「鶏の酒蒸し」をレンジで

セロリと鶏肉のマスタード和え

359kcal
（材料の分量）

①
鶏肉を皿にのせて酒をふりかけ、ラップをしてレンジで加熱する。火が通ったら熱いうちに食べやすい大きさにほぐし、塩で軽く下味をつける（このとき出た汁は取っておくこと）。

②
セロリは繊維の方向にそって、縦3〜4㎝幅1㎝に切る。ラップでくるむかビニール袋に入れて、レンジで加熱する。

③
①と②をボウルに入れ、マヨネーズとマスタード、①で出た汁を加えて和える。

Point 1

鶏肉ひとパックを一気に酒蒸しするなら、指でラップの隅に穴をあけてお酒を注いで、そのままレンジで加熱するって方法もあり。

ただ、トレーの材質と鶏肉の脂身の量によっては、トレーが変形することもあるから注意してね。

Point 2

酒蒸しにした鶏肉は割り箸やフォークを使いながら、熱いうちにほぐして。やけどには気をつけてね。

■材料■

鶏胸肉…1／3枚、セロリ…10cm、マスタード・料理酒…大さじ1
マヨネーズ…大さじ2、塩…適宜

プチプチの食感がアクセント

緑《りょく》豆《とう》春雨のわさびサラダ

194kcal
（写真の分量）

①フライパンに春雨がひたるくらいの水を入れ、強火で春雨をもどし、水に取る。

②ボウルでわさびじょうゆとマヨネーズを混ぜ、水を切った①と野菜・とんぶりを和える。

材料

春雨・わさび…適宜
しょうゆ…大さじ1／2、マヨネーズ…大さじ1
サラダ用の野菜…適宜
とんぶり…1／2パック

Point 1

春雨をもどすのにフライパンをすすめる理由は、底面積が広いためにお湯が沸くのがはやいから。

Point 2

わさびとしょうゆを混ぜてからマヨネーズを加えると混ざりやすいわ。

チーズ好きにはたまらない

ブルーチーズとじゃがいものサラダ

281kcal
（材料の分量）

① じゃがいもはよく泥を落とし、ぬれたままラップで包んでレンジにかけ、皮をむいてざっくりつぶす。

② ブルーチーズをあらく砕き、じゃがいもと和える（じゃがいもとチーズは2：1〜3：1が目安）。

③ 黒こしょう、オリーブオイルで仕あげる。

※塩辛をちょっと混ぜてもオツな味に！

Point 1

途中で上下を返して3分も加熱すればほくほくのはず。熱いところをフォークでさして、火の通りを確認し、そのまま皮をむいて、フォークの背でつぶせば簡単でしょ。

Point 2

ブルーチーズは種類によって塩気が違います。チーズのみで塩味をつけるので、量はお好みで加減してね。

■材料■

じゃがいも…1個
ブルーチーズ・オリーブオイル・黒こしょう…適宜

皆大好き「大人のツナマヨ」

ペンネの黒オリーブサラダ

145kcal
（1人分を乾燥ペンネ20gとして計算）

①鍋に湯を沸かし、塩を入れ、ペンネをゆでる。

②①の間に、ボウルにツナ缶、マヨネーズ、黒オリーブを合わせておく。

③①がゆであがったら湯を切り、②と和える。

Point 1

ペンネは柔らかい口当たりに仕あげたいので、ゆで時間は気持ち長めに。プラス1分が目安よ。

Point 2

和えるタイミングは取り分ける直前がベスト。時間が経つとペンネがソースの水分を吸ってしまい、みずみずしさが消えてしまうの。

■材料■

乾燥ペンネ…80g、ツナ缶…1缶、マヨネーズ…適宜
黒オリーブ（種抜きでスライス済みのもの）…2〜3つまみぐらい

ピリッとさわやかな南米風マリネ

マグロのセビッチェ

278kcal
（写真の分量）

①　たまねぎは粗みじん切り、アボカドとマグロブツは2cm角くらいに切る。

②　①と②をボウルに入れ、ライム汁とAで和える。

※カイエンペッパーは一味唐辛子でも可。

材料
マグロブツ…食べたいだけ、アボカド…1/2〜1個、たまねぎ…1/2個、ライム…1/2個
A（オリーブオイル・塩・カイエンペッパー…適宜）

Point 1
アボカドは、包丁を垂直に差し込んで種を軸に360度回転させ、包丁を抜き、アボカドの上下を両手で持ってねじると写真のように「ぱかっ」と割れます。皮は指でむけるわ。

Point 2
ライム汁で魚の表面が白っぽくなります。

新鮮な香りごと食べる

香味野菜のサラダ

111kcal
（材料の分量）

①材料を水で洗い、千切りにする。ネギ、ミョウガ、シソは水にさらしておく。

②すべての材料の水気を取って、塩・オリーブオイル・レモンと混ぜ合わせる。

※水気を切った後、キッチンペーパーに挟んで優しく水気を取ると、さらに仕上がりが上等よ。

Point 1

ネギは5㎝のブツ切りを縦に千切りして水にさらして、水の中で軽くもんでもいいわ。これをサボるとにおうわ辛くなるわで大変!

Point 2

千切りが苦手な人には、キッチンばさみがおすすめよ。シソはまとめてくるくる巻いて、端からチョキチョキ。この料理の場合はすべての材料に応用OK!

材料

水菜…1／2束、ミョウガ…1〜2個、糸三つ葉…1束、ネギ…5cm
青ジソ…5〜10枚、レモン・塩・オリーブオイル…各少々

果物の酸味がポイント

柑橘《かんきつ》と魚介のサラダ

187kcal
（写真の分量）

① ハッサクは皮をむき、実を小房から出す。貝は洗って、刺身と一緒に塩とオリーブオイルで和える。

※オリーブオイルの代わりに練りゴマを使うと、和風に仕あがるわ。

■材料■
貝（ここではあおやぎを使用）…適宜
白身の刺身（ここでは鯛を使用）…適宜
ハッサク…1個、オリーブオイル・塩…適宜

Point
やっかいなハッサクの小房むき。実の中心側の筋部分を切り落とせば、後は楽チン♪　キッチンばさみで切るのもおすすめです。

切って盛るだけよ～

生ハムとクレソンのサラダ

198kcal（材料の分量）

①クレソンは洗って食べやすい大きさに切る。

②オレンジは実を取り出す。

③①、②と生ハムをオリーブオイル、バルサミコ、塩、こしょうで和える。

簡単なわりに見栄えがいいのよね

Point 1

オレンジは、リンゴの皮をむく要領で薄皮ごと皮をむき、薄皮と実の間に包丁をVの字に入れながらひと房ごと取り出すと簡単。

Point 2

クレソンの苦みとバルサミコの甘みが大人の味ね。

材料

クレソン…1束、生ハム…1／2パック
オレンジ（あれば）…1／2個
オリーブオイル・バルサミコ・塩・こしょう…適宜

野菜がおいしくたっぷり摂れる！

キャベツサラダ

206kcal
（1人分をキャベツ1／6個分として計算）

Point

酢は沸騰させることでマイルドな味わいに。煮立った瞬間に香りをかぐとむせるので気をつけて。タレをキャベツにかけた瞬間にジュッと音がするくらいがベスト!

■材料■

千切りキャベツ…食べたいだけ（1人1／6～1／4個が目安）
たまねぎ…1／2個
サラダ油…大さじ2～3
酢…100cc
しょうゆ…大さじ1～2
こしょう…適宜

① キャベツは千切りにし、皿に盛る。たまねぎは皮をむいて粗みじん切りにする。

② フライパンでサラダ油を熱し、中火でたまねぎを炒める。

③ たまねぎが透き通ったら、酢としょうゆを入れ、全体がグラグラと煮立ったらこしょうを多めにふり、キャベツにかける。

香りと食感でいただく

三色おひたし

36kcal
（写真の分量）

①えのきはいしづき（根元のかたい部分）を切り、三つ葉は根元を切り離す。水菜は根元をよく洗って砂を流しておく。

②鍋に湯を沸かし、塩をひとつまみ入れて野菜をしゃぶしゃぶする。水菜と三つ葉は冷水に取ってしぼり、3㎝くらいに切る。

③②を白だししょうゆで和える。お好みでゆず皮を刻んだものを天盛りにする。

Point

三つ葉などの葉ものは根に近い方から入れます。

■材料■

水菜・三つ葉・えのき…各適宜
白だししょうゆ（しょうゆ、薄口しょうゆ、塩など塩味がつく調味料）…大さじ1、ゆず皮（お好みで）…適宜
塩…ひとつまみ

酒肴道場
コラム❷

おすすめキッチンツールはこれよ！

一人暮らしの狭いキッチンって、料理しづらいわよね。「料理しない前提で設計してないか？」って物件も多いと思うわ。調理器具の置き場もないでしょう？　だから、点数は少なくてもたくさんの用を足せるマルチな調理器具があるといいわね。

和歌ネエが特におすすめしたいのは「キッチンばさみ」「トング」「深めのフライパン」の三点。

◎キッチンばさみ

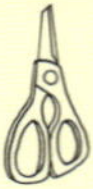

案外便利。野菜を刻んだり、肉を切ったりと大活躍してくれます。まな板を使わなくてすむ場合も。

◎トング

菜《さい》箸《ばし》よりもトングが重宝です。パスタをよそったり、肉をつかんだり、野菜を

ゆでたり……先が耐熱シリコンのものなら、素材へのあたりも優しいの。

◎深めのフライパン

底が平らになった中華鍋形のフライパンは、炒めゆで揚げに対応できる優《すぐ》れもの。表面加工されているものは洗うのも楽！

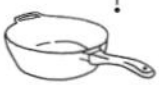

ほかにも、「包丁」「まな板」を選ぶときにはこんなところに気をつけて。

◎包丁

切れ味のいいものを一本、と言いたいところだけれど、まあまあ切れればよし。本格的に料理したくなったらぜひよいものを手に入れて。

◎まな板

狭いキッチンの場合、縦でも横でもいいから流しに渡せる長さのまな板がおすすめ。

第3章

5分おかず！（温）

定番あり、目からウロコのメニューあり

温かい食べ物のいいところは、おなかがホッとするところ。そして野菜なら、かさをへらしてたっぷり摂れるところ。外食続きだと、どうしても野菜と食物繊維が不足するから、家つまみでしっかり摂るといいわ。それに、なんといっても、人の体と心には温かい食べ物が必要なのよ♥

冷えたカラダを温めてくれるホカホカおかず

まあまあおなかにたまるつまみ

ちょっとパンチのあるものがほしいときのつまみ

この章では、5分を目安に作れる温かいつまみを集めました。
火を使うもののほうが調理時間はかかりがちだから、
2章よりは気持ち時間を多めに見ていただきたいわ。とはいえ、ほとんどのものが

フライパンと電子レンジがあればできちゃう！


ほんとです。まあ中には「鍋ひとつで」「トースターで」というのもあるんだけど(笑)。

基本的にレンジとコンロひと口あればどれでも作れます。

ＩＨコンロと電子レンジだけの狭〜いワンルームマンションでも大丈夫。

調理器具が少なくても、気の利《き》いたつまみは作れるわ。

レンジで作れるホットな肴《さかな》

新じゃがのアンチョビバター

381kcal
（写真の分量）

① じゃがいもはよく洗い、5分を目安にレンジで火が通るまで加熱する（大きい場合は芽を取りのぞいてひとくち大に切ってから）。

② アンチョビとバターを容器に入れて約1分加熱する。

③ ①に②を回しかければ完成！

※刻みパセリやアサツキをかけると、もっとオシャレな仕あがりに！

Point 1

じゃがいもの加熱にはビニール袋を使うといいわ。洗って、袋に入れて、途中で袋ごとひっくり返すと均一に火が通りやすくなります。もちろんラップでもOK。

Point 2

アンチョビは、チューブに入ったペースト状のものが扱いやすくておすすめ。バターと一緒に加熱するときは必ずラップして（ラップをかけないと、バターとアンチョビがレンジ中に飛び散るから気をつけて!）、ブチュブチュいいだしたらOK。

■材料■

新じゃが…食べたいだけ（普通のじゃがいもでも可）
アンチョビ…大さじ1、バター…大さじ2〜3

お金をかけずにガッツリ系！

豚バラとネギのイカダ焼き

229kcal
（1人分を豚バラ肉1／2パック分として計算）

Point 1

ポイントは、肉にあらかじめ下味をつけること。塩（お好みでこしょうも）をしたら軽くもみ込み、ジャバラに折り畳むようにまとめていくの。こうすると火もはやく通るわ。

Point 2

ネギで豚肉を挟み込むようにしたら竹串でとめて。この際、両端をさしてから真ん中の串をさす方が楽な気がするわ。イカダがフライパンに入るサイズかチェックして。

■材料■

豚バラ肉スライス…1パック
ネギ…2～3本
塩…適宜

① 豚肉に塩で下味をつける。

② ネギをフライパンに入る長さに切る。

③ ①をジャバラに折り畳むようにして②と同じくらいの大きさにまとめ、肉をネギで挟むようにイカダを作り、竹串でとめる。

④ フライパンを熱し、③を両面焼いてめしあがれ。

※お好みで柑橘《かんきつ》をしぼったり、ゆずこしょうや辛味噌をつけたりしてもおいしいわ。

マヨベースの南仏ソース

温野菜のアイヨリソース

214kcal
（写真の分量）

材料

野菜…食べたいものを食べたいだけ
A（マヨネーズ…大さじ2、レモン汁…小さじ2、おろしニンニク…小さじ1）

① 野菜は洗って、食べやすい大きさに切り分け、ラップや耐熱容器を使ってレンジで加熱する。目安は3分。

② Aを混ぜてソースを作る。①に②をつけてめしあがれ！

※ものによってはアクが出るので、野菜の種類別にラップするのがおすすめ。里芋は、加熱してから皮をむくと簡単。レンコンの変色を避けたい人は加熱前に酢水にくぐらせて。

※オリーブオイルを少し加えて香りをつけるのもおすすめ。

残りものを使って

焼きネギの明太和え

53kcal
（材料の分量）

■材料■
ネギ…1／2本
明太子…1／2はら
のり…適宜

① ネギを斜め切りにする。

② フライパンに油を引かず、①の両面を中火～弱火で焼く。

③ ②を明太子と和え、のりをまぶす。

※焦げ目がつくまでネギを焼くのがポイント！ せんべいを焼くみたいに両面を焼いて。
※バター1かけと一緒に、炊きたてのご飯にまぶしてもおいしい！

漬物が風味豊かに大変身！

白菜漬けのゴマ油炒め

115kcal（写真の分量）

① 白菜の漬物を食べやすい大きさに切る。

② ①をゴマ油で炒める。

冷蔵庫で忘れ去られた
白菜漬けをみつけたら、
ぜひお試しを

Point 1

白菜の漬物は、幅2〜3cmを目安に刻んで。縦方向にも刃を入れておいた方が炒めやすく、食べやすいわ。葉の根元を先に、葉先を後に炒めるといいわよ。

Point 2

ゴマ油で炒めるだけ。漬物の塩気があるので、味つけは不要です。葉の根元の部分が透き通ってくれば完成ね。軽く焦げ目がついたくらいが香ばしくておいしいわ。

■材料■

白菜の漬物…食べたいだけ
ゴマ油…大さじ1程度

これが「レンジで3分」!?

レタスと豚のミルフィーユ

322kcal（材料の分量）

①豚肉に軽く塩・こしょうし、下味をつける。

②レンジにかけられる容器に、レタス→豚肉の順番で重ねていく。

③上から軽くおしつけて、ゆるくフタをし（ふんわりラップをかけるイメージで）レンジで3分加熱。

④粒マスタードとマヨネーズを混ぜたソースでめしあがれ！

※和食っぽい食べ方が好きという人は、ぽん酢でもいけるわ。

Point 1

豚に軽く下味をつけることで、レタスにうまく塩が回ってしんなりしやすくなるの。豚肉1枚に、レタス2枚くらいの割合がおいしいわね。

Point 2

保存容器を使えば、レンジ加熱も簡単。フタをぴっちりしめると事故の元なので、ふんわりフタをして3分加熱して。蒸し物のような仕あがりに驚くはず!

■材料■

豚薄切り肉…1パック（バラでもモモでも好きな部位）
レタス…1／2～1個
塩・こしょう・粒マスタード・マヨネーズ…適宜

乾物と冷凍ストックでクイック調理

シーフード春雨

235kcal
（1人分を春雨1／2束分として計算）

①フライパンに春雨とキクラゲを入れ、両方がひたるくらいの水を注いで強火にかける。

②煮立って乾物がもどったらお湯を捨て、中火に落とす。

③油を入れ、Aをみじん切りにしたもの、アサリなどのシーフードの順番で入れ、炒め、塩・こしょうで調味する。

材料

春雨…1束、キクラゲ…乾燥状態で4～5枚
A（ニンニク・ショウガ…各1かけ、ネギ…5㎝）
アサリ…5～8個、シーフドミックス…適宜
塩・こしょう…適宜、油…大さじ2

Point 1

フライパンで直接もどせば洗い物も出なくて楽チン。グラグラ煮立てるとあっという間に増えるの。キクラゲは特に爆発的に増量するから入れすぎないように。

Point 2

もどった後は、このくらいに増えます。シーフードは、豚バラ肉を切ったものなどにかえてもOK。ナンプラーとレモン、一味唐辛子を足すと、エスニックテイストになるわよ。

ささっと作れる「癒し系」

湯あがり厚揚げ

185kcal
(写真の分量)

Point 1

お湯は厚揚げがひたるくらいの量でOK。沸騰したお湯に入れて、再度沸騰したら30秒待ってお湯を捨てて。

Point 2

薬味は、今回は刻みネギ&ショウガ、大根おろし&明太子をチョイスしました。薬味が何にもない!　というときは、おろしぽん酢や、おろしショウガだけでも十分おいしいわよ。

■材料■

厚揚げ…食べたいだけ
大根おろし、明太子、ネギ、ショウガなどお好みの薬味…適宜

① ネギを刻む、大根やショウガをおろすなど薬味を用意する。

② 鍋に湯を沸かし、厚揚げをゆでる。

③ 厚揚げを食べやすい大きさに切り、お好みの薬味をのせれば完成！

意表をついた組み合わせ

レンコンのブルーチーズ焼き

171kcal
（材料の分量）

材料

レンコン…5～10㎝、ブルーチーズ…30～50g
黒こしょう（お好みで）…少々

① レンコンはラップで包んでレンジで3分加熱。

② レンコンを適当に切ってオーブンシートかアルミホイルに並べ、チーズをちぎってのせる。お好みで黒こしょうをふりかけてもOK。

③ オーブンレンジで加熱し、チーズが溶けて、ちょっと焦げたくらいででき上がり！

※レンコンは皮つきでOK！　※黒こしょうの代わりにカイエンペッパーを使ってもいい味になるわよ。

レンジ×フライパンの技

失敗しないフライドポテト

170kcal
（材料の分量）

■材料■
じゃがいも…1個、塩・こしょう…適宜
オリーブオイル（サラダ油でも可）…適宜

① じゃがいもはよく洗い、ラップでくるみ、レンジで3分加熱する。

② じゃがいもをくし形に切る。

③ フライパンにオリーブオイルを多めに引き、②の表面に焼き色をつける。

④ 塩・こしょうで調味する（ハーブやチーズを加えても◎）。

※じゃがいもの片面がひたればいいので、油の量は調整してね。加熱済みなので、表面に色がつけばOK。

気軽に作れるグラタン風

温野菜のマヨネーズ焼き

363kcal
（材料の分量）

Point 1

クッキングペーパーをオーブン皿代わりに使えば洗い物なし！　マヨネーズから油が出てくるし、野菜が転がるかもしれないから、四隅をきゅきゅっとねじっておいて。

Point 2

これがマヨネーズをかける前。マヨネーズは風味づけ程度に考えて、あらかじめ塩・こしょうします。じゃがいもが転がるときは、底面をそげば安定感が出ます。

※新じゃがは、小ぶりで皮が薄いものが最適！

■材料■

小ぶりの新じゃが…3個、アスパラガス…2本
プチトマト…2個、マヨネーズ…大さじ2〜3
塩・こしょう…適宜

① 新じゃがはよく洗い、レンジで３分加熱する。アスパラガスはそぎ切りにし、プチトマトはヘタを取る。

② オーブン用のクッキングペーパーでトレーを作り、①を並べ、軽く塩・こしょうし、マヨネーズをかける。

③ オーブントースターでマヨネーズに焦げ目がつくくらい焼く。

滋味《じみ》あふれる一品

とろろのゴマポタージュ

149kcal
（材料の分量）

① 鍋にだしを入れ、長芋をおろし入れる。混ぜながら温め、沸騰してきたところで白すりゴマを加え、ひと混ぜする。

② 白だししょうゆで味をととのえる。

③ 器に盛りつけ、あれば青のりをふりかける。

二日酔いに、胃が弱ってるときに、
風邪のひきはじめに……
体を温め、
やさしくいたわってくれるわ

Point 1

鍋に直接おろし入れてOK。長芋は、手がかゆくなる人もいるので、注意して。かゆみが出やすい人は、おろした後に手に塩をなじませてから洗い流すなど工夫して。

Point 2

長芋はよく混ぜながら加熱すること。よく混ざる前に沸騰させると、長芋がモロモロに固まり、舌触りが悪くなってしまうの。

■材料■

だし…200cc、長芋（大和芋でもOK）…8cm、白すりゴマ…大さじ2
白だししょうゆ（しょうゆ、薄口しょうゆ、塩など塩味がつく調味料）…小さじ1
青のり（あれば）…適宜

切って焼くだけ！

大根ステーキ

151kcal
（写真の分量）

Point 1

焼きあがりはこんな感じ。皮は火が通るにしたがって、自然にむけてくるから大丈夫よ。

Point 2

仕あげにぽん酢をひと回し。煮立って蒸気があがったら火を止めて。油となじんで少し煮詰まったぐらいがちょうどいいわ。

■材料■

大根…食べたいだけ
サラダ油…少々
ぽん酢…大さじ２程度

① 大根は皮つきのまま、約2cmの厚さに切る。

② フライパンにサラダ油を引き、中火にして大根を並べ、アルミホイルをかぶせて中火〜弱火で表裏各5分ずつ焼く。

③ ぽん酢を回しかけ、煮立ったら火を止める。あればゆでた大根葉のみじん切りを添える。

100円で作れちゃう！

鶏皮のパリパリ

187kcal
（1人分を鶏皮1枚分として計算）

Point 1

モモや胸肉の鶏皮をはがして作ってもOK。鶏皮は火を通すと縮むので、小さく切りすぎないようにね。

Point 2

炒め始めると、びっくりするくらい皮から脂が出てきて、軽い揚げ物状態になります。仕あがったら、一度キッチンペーパーに取って、油を切るといいわよ。

鶏皮ってスーパーの精肉コーナーの
端で激安で売られていることが多いの。
一見ぶよぶよしているように見えるけど、
よく焼くとカリッとした
歯ごたえの名つまみになるのよ

■材料■

鶏皮…2〜3枚
塩・こしょう…適宜
サラダ油…小さじ1

① 鶏皮はひとくち大に切る。

② フライパンにサラダ油を引き、①を入れて中火でじっくり炒める。

③ 塩・こしょうで調味し、皮がきつね色になったらできあがり！

お湯を使ってメタボ知らず

ヘルシー青菜炒め

59kcal
（写真の分量）

① 青菜は食べやすい大きさに切る。同時に、鍋で湯を500ccほど沸かす。

② フライパンに油を引き、つぶしたニンニクと鷹の爪を入れ、弱火で香りを出す。

③ 強火にかえ、青菜を入れて塩をふり、さっと炒める。

④ 酒と①の湯を③に一気に注ぎ入れ、一度かき混ぜグラッと沸いたらざるにあけ、水気を切る。

※お湯の量が少ないと、油のハネが激しくなります。くれぐれもやけどにはご注意を！

Point 1

塩はこのくらい。後からお湯で流すので、多いかなと思うくらいでOK。また、チンゲンサイなど、葉先と根元で厚みの違う野菜は根元部分からフライパンに入れる工夫を。

Point 2

グラグラ煮立ったお湯をたっぷり入れることで、塩と油、熱が全体に回り、野菜に火も通ります。お湯が全体に回ったら、すぐに火を止め、お湯を切ってね。

材料

青菜（ここではチンゲンサイを使用）…食べたいだけ
油・塩・酒…大さじ1
鷹の爪（あれば）…1本
ニンニク（あれば）…1かけ

ワインに合わせる大人のつまみ

鶏といちじくのゴルゴンゾーラ

314kcal
（1人分を鶏モモ肉1／4枚分として計算、パンを含む）

Point 1

ドライいちじくは、こういう大粒のソフトタイプを使っています。おつまみとしても売られているし、果物コーナーに置かれていることもあるから、探してみてね。

Point 2

フライパンを揺すりながら強火で焼いて。肉から油が出るので油は引かなくてOK。表面が焼けたらいちじくとワインを一気に入れます。一瞬で煮立ってアルコールが飛ぶはず。

■材料■

鶏モモ肉…1／2枚、ドライいちじく（大）…3つぶ
ワイン…大さじ3、塩…適宜
ゴルゴンゾーラ（青カビチーズなら何でもOK）…適宜

① いちじくを刻んでワインと合わせ、レンジで30秒加熱する。

② 鶏肉は0.7〜1cmくらいの厚さに切り、軽く塩をふって、フライパンで強火で焼く。

③ ①を②に入れ、弱火に落として軽く煮詰める。

④ 火を止め、刻んだチーズと合わせて完成！

※味にエッジをきかせたい人は、軽く黒こしょうをふっても◎。軽くトーストしたパンやバゲットと一緒にどうぞ。

できたてのホカホカをめしあがれ！

とろとろささみの梅肉和え

62kcal（写真の分量）

①鶏ささみ肉の筋を取る。

②①を食べやすい大きさにそぎ切りにする。

③②にごく少量の塩をふり、片栗粉をまぶし、沸騰した湯でゆでる。衣に透明感が出たら鍋から出し、梅肉とともに盛りつけ、あれば芽ネギを添える。

※芽ネギは、三つ葉や水菜やのりでも可。

Point 1

ささみの筋取りは、縦に切り込みを入れ、筋の端をつかんだら包丁でしごき取るようにするとうまくいきます。面倒くさそうなら、多少高くても筋なしささみを使って。

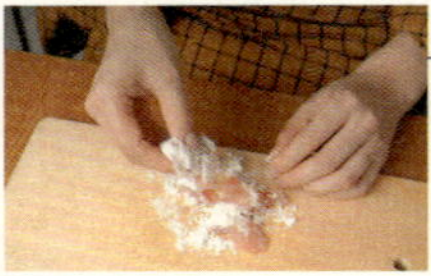

Point 2

片栗粉はこんな感じでまぶして。必ず沸騰したお湯でゆでてね。一度にたくさんのささみを入れてしまうとお湯の温度が下がるので、様子を見ながらね。

材料

鶏ささみ肉…食べたいだけ、片栗粉・塩…適宜
梅肉…梅干し2〜3個分、芽ネギ（あれば）…適宜

バターとマスタードが好相性!

レンコンステーキ

170kcal
(写真の分量)

① レンコンを2㎝程度の輪切りにして軽く塩をふり、バターを熱したフライパンにのせて弱火でじっくり両面を焼いていく。途中でバターを足しながら焼くとよい(レンコンに吸わせるような感じで)。

② レンコンの色が変わって、ほどよい焦げ目がついたらマスタードを入れ、加熱し続けながら全体になじませ、香りを出す。

バターをたっぷりふくんだ
レンコンのホクホクの
食感がたまらないのよね～

Point

時間を短縮したい人は、レンコンをラップで包んでレンジであらかじめ加熱して。こうすれば、フライパンでバターとマスタードの風味をつけるだけでOKです。

材料

レンコン…食べたいだけ
塩・バター…適宜
カシスマスタード…適宜（市販のマスタードでも可）

簡単スペインつまみ

マッシュルームのアヒージョ

473kcal

（1人分をマッシュルーム1/2パック分として計算、油も可食と考えた場合）

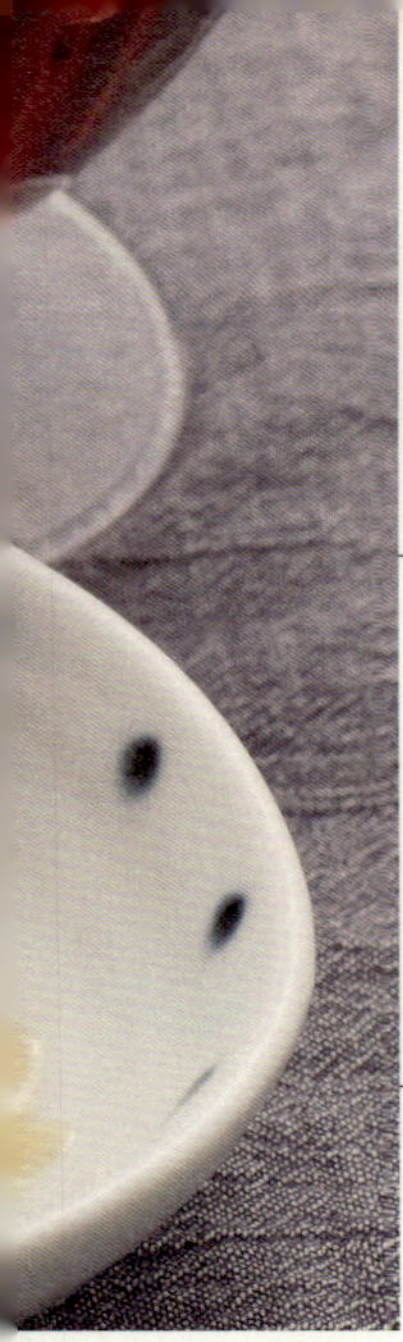

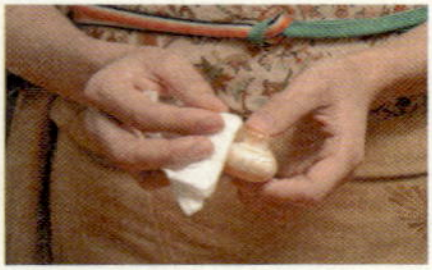

Point 1

マッシュルームに限らずキノコ類は洗うと旨みが落ちます。だから清潔な布巾やキッチンペーパーでふくだけ。

Point 2

ひたってる?　というくらい、オリーブオイルはたっぷりと。旨みが油に移って最高のソースになるの。

■材料■

マッシュルーム…1パック、ニンニク…1かけ
カイエンペッパー…少々（鷹の爪1/2本でも可）
オリーブオイル…100～150cc、塩…適宜

① マッシュルームの汚れをふき取る。ニンニクをスライスする。

② フライパンにたっぷりとオリーブオイルを引き、マッシュルームとニンニクを入れて、塩とカイエンペッパーをふりかける。

③ フタをして、弱火で10分蒸し焼きにする。

※マッシュルームから出てくる水分でかなり油がはぜるから、必ずフタをすること。塩をマッシュルームの中に入れるようにすると、比較的油がはぜにくいわ。

山椒《さんしょう》がピリッと香る
厚揚げの香味味噌焼き

390kcal
（1人分を厚揚げ1枚分として計算）

Point 1

湯通しは、酸化した油を流すための作業。ポットのお湯を使ってもいいのよ。新しい厚揚げならこの工程はいりません。

Point 2

味噌はスプーンなどでのばして。甘口の味噌なら、砂糖なしでもいいかもしれないわ。

■材料■

厚揚げ…2枚、味噌…大さじ3
砂糖…大さじ1、山椒…少々

① 厚揚げを湯通しする。

② 厚揚げに砂糖と合わせた味噌を塗り、山椒をふりかけ、グリルなら弱火、オーブントースターなら5分ほど焼く。

③ 味噌の表面がほどよく焦げたら取り出し、盛りつける。

※味噌が焦げすぎないように注意!
※山椒の代わりに刻みネギやおろしニンニク、七味唐辛子や黒こしょうを使ってもおいしい!

里芋とレンコンのニンニク炒め

ニンニク風味の後引く旨さ

367kcal
（材料の分量）

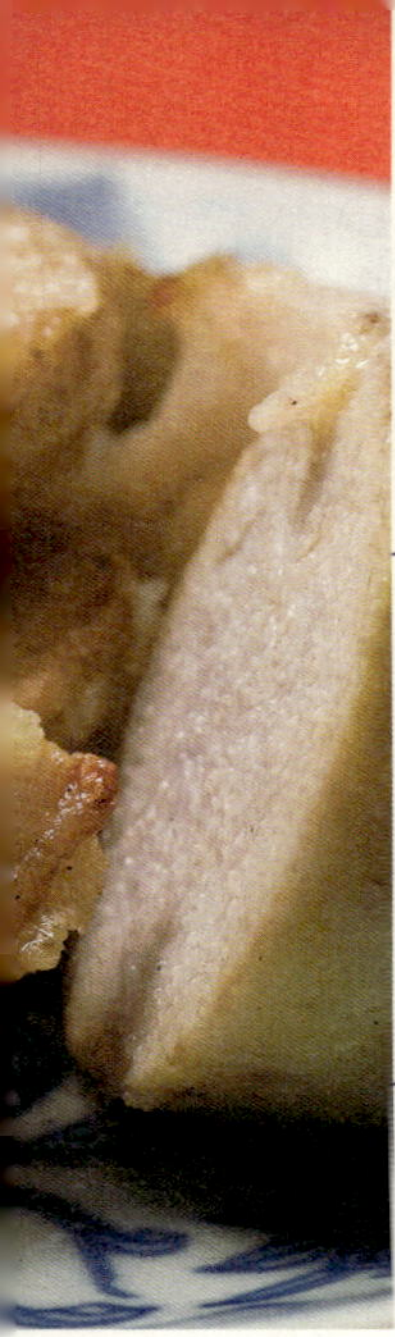

Point 1

先にレンジで熱を通すことで、炒めの過程が楽になります。里芋・レンコンはよく洗い、水気を残してラップでくるむか、耐熱容器やビニール袋に入れて加熱を。

Point 2

加熱後の里芋は指で皮がつるっとむけます。ものすごく熱くなっている場合があるので、加熱後すぐは、ふきんを使うなど、やけどしないように気をつけてね。

■材料■

里芋（大）…2～3個、レンコン…約8㎝
ニンニク…1かけ（チューブのおろしニンニクなら2㎝）
ゴマ油…大さじ2、塩…適宜

① 里芋とレンコンをよく洗う。レンコンは皮つきのまま乱切りにし、里芋と一緒にレンジで3分加熱する。

② 里芋を食べやすい大きさに切り、皮をむく。

③ フライパンにゴマ油を引き、里芋とレンコンを炒め、表面に焦げ目がついたら塩とおろしニンニクを入れ、ざっと全体をかき回して火を止める。

「技アリ」に見えて簡単!

アスパラガスのガレット風

422kcal
(1人分を春巻きの皮4枚分として計算)

① 春巻きの皮はいったん1枚1枚はがしておく。

② 春巻きの皮に約5㎝に切ったアスパラガスとチーズをのせ、包む。

③ フライパンにバターと②を入れ、中火で両面がきつね色になるまで焼く。

※皮1枚に対し、アスパラガス1本くらい。

※アスパラガスの根元の皮がかたい場合は、ピーラーで表面をむいて。

Point 1

こんな風に、四角く包むだけ。アスパラガスは生で入れちゃってOK。十分火が通るわよ。

Point 2

市販されている春巻きの皮ってカリッと仕あがるようになってるの。バターを含ませて焼くような感じにすると、見事なきつね色に焼けるのよ。

材料

アスパラガス（細身のもの）…1束
春巻きの皮…5～6枚
チーズ…適宜
バター…大さじ1～2

のせて焼くだけ！
ひとくちはんぺんの味噌チーズ

205kcal
（材料の分量）

①はんぺんはひとくち大に切るか、ちぎって耐熱皿にのせる。

②西京味噌とブルーチーズを①の上にのせ、黒こしょうをふりかける。

③オーブントースターで焦げ目がつくまで加熱（5～10分が目安）。

Point 1

黒こしょうをたっぷりふりかけるのがポイントです。これを忘れると、何だかしまらない味になるので注意して。

Point 2

味噌とチーズの割合は、1:1を目安にして、チーズの塩気によって加減してね。溶ければ混ざるので、混ぜずに適当にのせればOK。この状態でオーブントースターへ！

■材料■

はんぺん…1枚
西京味噌（白味噌）・ブルーチーズ・黒こしょう…適宜

はやい！ 旨い！ 旬の味

そら豆のさや焼き

54kcal
（1人分をそら豆3本分として計算）

Point 1

魚用のグリルは焦げ方にクセがあるから適宜場所をかえてね。おいしいそら豆だと塩なしで薄皮も一緒に食べられるの。手が黒くなるからお手ふきの用意もお忘れなく。

Point 2

焦がし具合はできあがり写真を参照。忘れると、あっという間にただの炭に……くれぐれも調理中はコンロから離れないで!

材料

さやつきのそら豆…5〜6本
塩（お好みで）…少々

① ガスコンロのグリルにそら豆をさやつきのまま並べ、強火で一気に焼く。

② 表面が黒く焦げた頃合を見てひっくり返す。

③ 両面が黒く焦げたら取り出す。さやは手で開いて、お好みで塩とともにめしあがれ！

※ガスコンロに魚用のグリルがついていない場合は焼き網でも可。

さっぱり仕あげの野菜メニュー

炒り豆苗《とうみょう》とツナ

153kcal
(材料の分量)

①豆苗は、根を切り、4㎝くらいの長さに切りそろえて、塩をひとつまみふりかける。

②フライパンを熱して豆苗をから炒りする。テフロン加工ではないフライパンを使用する場合は、薄く油を引く。

③豆苗がしんなりしたら器に盛り、ツナを添える。お好みで、こしょうやレモンで調味を。

Point 1

豆苗は1パックでほぼ1人分。切るときにボウルとキッチンばさみを使うと洗い物が減るわ。塩をあらかじめふっておくと、上手に加熱できるの。

Point 2

フライパンは必ず熱しておくこと。豆苗は一気に火を通してしまいます。こうすることでおひたしとも炒め物とも違うフレッシュな味が楽しめるの。お試しあれ。

■材料■

豆苗…1パック、ツナ缶…小さめのものを1缶
こしょう（七味唐辛子でも可）、塩…ひとつまみ
レモン…適宜

歯ごたえがたまらない

砂肝とこんにゃくのニンニク炒め

115kcal
(材料の分量)

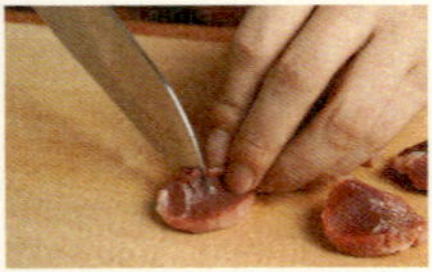

Point 1

砂肝の厚い部分はこんな風に縦にも包丁を入れておくと火が通りやすいの。筋取りは初心者には難しいから、すでに筋を取ってある砂肝を選んだ方が楽よ。

Point 2

やかんでお湯を沸かすのが面倒なら、ポットの湯を使いましょう。塩を使わないで、ちぎったこんにゃくを鍋でしばらくゆでる方法もあります。どちらでも好きな方法でどうぞ。

■材料■

砂肝（できれば筋の取ってあるもの）…1パック
こんにゃく…1枚、ニンニク…1かけ
赤唐辛子（あれば）…1本、塩・こしょう・サラダ油…適宜

① こんにゃくはひとくち大にちぎり、分量外の塩でもんで熱湯にさらし、水を切っておく。

② 砂肝を食べやすく切る。

③ ニンニクをスライスする。赤唐辛子はちぎって種を出しておく。

④ フライパンにサラダ油を引き、①〜③を入れて炒める。塩とこしょうで調味する。

※砂肝に火が通ったか心配なときは、最後に水かお酒を50ccくらい入れてフタをして、蒸気を回せばより確実ね。

ふんわりやさしい「素材の旨み」

キャベツオムレツ

286kcal
（材料の分量）

①卵を溶きほぐし、軽く塩・こしょうしておく。

②熱して油を引いたフライパンに2㎝程度のざく切りにしたキャベツを入れ、塩をふって炒める。

③②に①の卵を一気に注ぎ入れ、キャベツと混ぜてオムレツの形にする。

Point 1

キャベツはしっかり火を通して。ちょっと焦げ目がつくくらいがいいわ。塩をふって炒めてしんなりさせると、卵となじみやすくなります。

Point 2

ここからは一気に仕あげて。全体をざっくり混ぜたら、オムレツ型にまとめましょう。少々の型崩れはご愛敬。ふんわり仕あげたい人は、卵に牛乳を100ccほど入れるといいわよ。

材料

キャベツの葉…2〜3枚、卵…2個
塩・こしょう・サラダ油…適宜

5分で作れる即席煮物

ししとうのパッと煮

157kcal
（材料の分量）

① ししとうのヘタを取る。

② 小鍋を温め、油を引き、ししとうを30秒ほど炒める。

③ 油が全体に回ったら、②にかつお節、酒、しょうゆを順に加え、煮立ったら火を止め、全体になじませる。

Point 1

ししとうのヘタだけは取っておいた方がいいわ。このひと手間を惜しむと、後でヘタが口の中で邪魔になります。軽くむしれば簡単に取れるわよ。

Point 2

酒としょうゆを入れると一瞬で煮立つはず。火を止めて、余熱を利用しながら味を全体になじませて。くれぐれも煮すぎには注意!

■材料■

ししとう…1パック
かつお節小袋…1パック
ゴマ油…大さじ1（サラダ油でも可）
酒・しょうゆ…各大さじ1

ゴマぎっしりで香ばしい！

鶏レンコンのオセロ焼き

224kcal（1人分を鶏ひき肉50gとして計算）

①
レンコンはラップをかけてレンジで5分加熱。小さめに切り分けたらビニール袋に入れて、丈夫なコップやすりこぎでたたき、粗くつぶす。

②
①に鶏ひき肉と塩を入れて、ビニール袋の上からもんで混ぜる。

③
フライパンに黒ゴマをひとつかみ入れて、その上に②を広げる。広げた上から白ゴマをまんべんなくふる。

④
弱火で5分くらい焼き、下側が焼けたら返す。火が通ったら切り分けてどうぞ！

Point 1

コップの底の部分でたたくとビニール袋が切れるから、側面を使ってね。

Point 2

焼くときはこんな感じ。ゴマと鶏肉、両方から油が出るから油は引かなくていいの。

材料

鶏ひき肉…100～150g
レンコン…鶏ひき肉と同量
塩…小さじ1
白ゴマ・黒ゴマ…適宜

酒肴《しゅこう》の王道「酒蒸し」をアレンジして

アサリのニンニクしょうゆ

48kcal
（材料の分量）

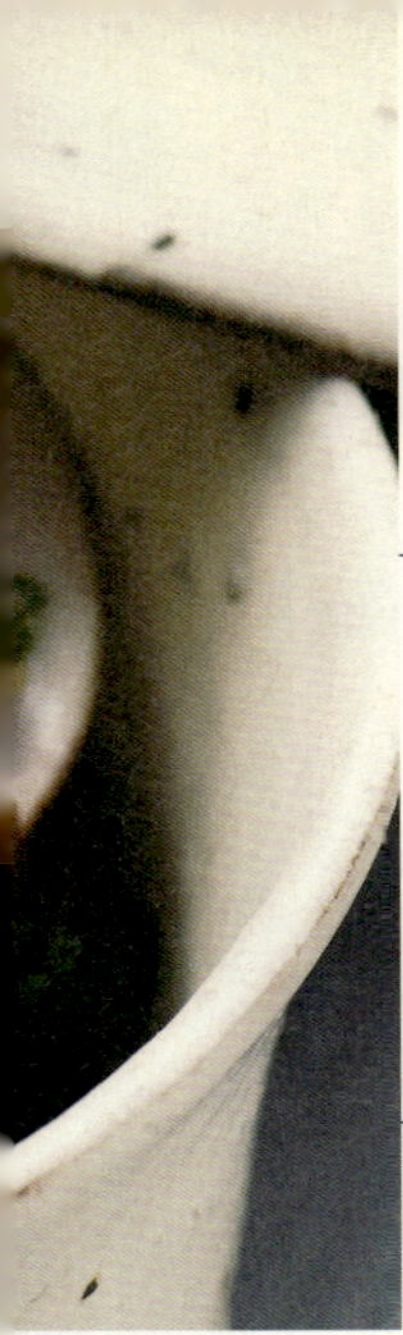

Point 1

アサリの貝殻《かいがら》の表面には雑菌がついていることがあるので、調理する前には、必ずよく洗って。貝殻どうしをこすり合わせるようにして水洗いするといいわね。

Point 2

アサリがこのくらいになるまで加熱して。フタがなければアルミホイルでも代用できるわ。酒を水にかえてもOK。また、紹興酒《しょうこうしゅ》にかえれば中華風のおつまみにも!

材料

アサリ…1パック、ニンニク…1かけ
しょうゆ・酒…各大さじ1

① アサリはよく洗う。ニンニクはみじん切りにする。

② フライパンにアサリと酒を入れ、フタをして加熱する。

③ アサリの口が開いたら、①のニンニクとしょうゆを加え、火を止める。

※あればアサツキのみじん切りを添える。

冷蔵庫の定番でごちそうを！

納豆オムレツ

295kcal
（1人分を卵1個分として計算）

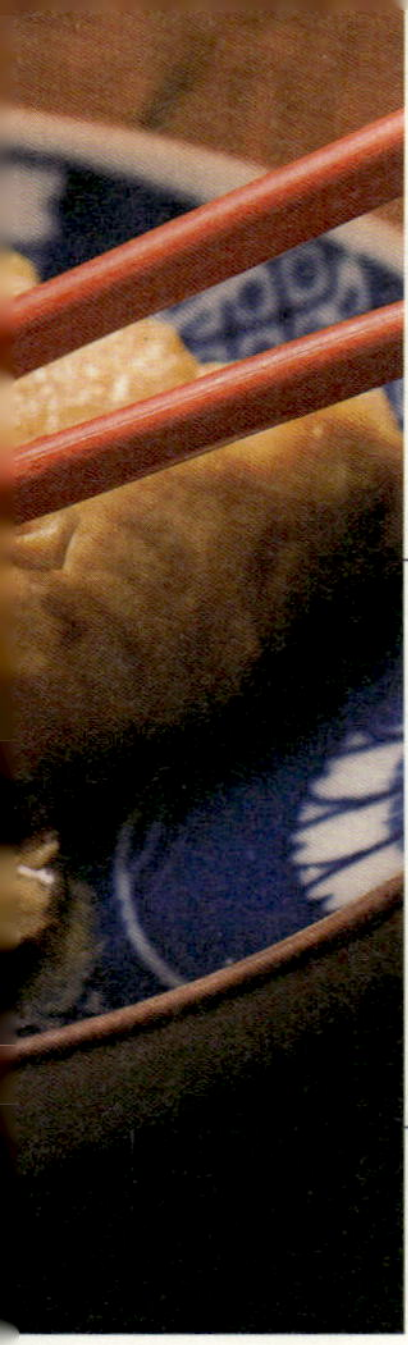

Point 1

卵にゴマ油を混ぜ込むことで、卵がふんわり風味よく仕あがるの。

Point 2

納豆はかき混ぜずに直接フライパンに投入。フライパンの中でほぐし炒めて。

※はやく干ししいたけをもどしたいなら、耐熱容器に干ししいたけと水を入れ、2分ほどレンジで加熱するといいわ。

■材料■

卵…2個、ゴマ油…大さじ3、塩…少々、納豆…1パック
干ししいたけ…1個、ネギ…5㎝
白だししょうゆ（しょうゆ、薄口しょうゆ、塩など塩味がつく調味料）…小さじ1

① 卵をボウルに割り入れて塩少々とゴマ油を入れて混ぜる。

② ネギと、水に入れてもどした干ししいたけを粗みじん切りにする。

③ フライパンに薄く油を引き（分量外）、②と納豆を炒める。ネギに火が通ったら白だししょうゆで調味。

④ ③をフライパンの端によせ、強火にしてもう片側に①を流し込む。卵の底がグラグラしたら、オムレツの形にまとめてできあがり！

酒肴道場コラム3

調味料を味方につけよう

調味料は料理の必需品。

でも調味料好きな人って、いろいろ種類をそろえすぎて、にっちもさっちもいかなくなるのよね。スペースにもお金にも限りがあるわけだから、メリハリをつけましょう。私なりのおひとりさまの知恵を書き留めておきます。参考にしてみてね。

◎塩、しょうゆ

料理がそんなに得意ではない一人世帯の場合、お金をかけるべきはまず基本の調味料。特に塩、しょうゆを変えると、味を平均的に底上げしてくれるわ。買うときはついつい数十円の差に目がいっちゃうけど、一食ごとで考えればたいした出費じゃないので、お試しあれ。

塩は、調理に使う塩と、調味に使う塩を別に用意するのもテ。私は粗塩のほか、国産の藻塩《もしお》、海外のミネラル塩、岩塩を使い分けています。粒子の大きさや塩の個性によって、味のしみ込み方や口溶けも変わってくるのよ。

◎香辛料

《グループ1》こしょう、七味唐辛子、山椒《さんしょう》

　味にアクセントを添えてくれる名わき役。この3つは置き換えるだけで味のバリエーションを増やせます。鶏のこしょう焼き、七味焼き、山椒焼き、というふうに。いつもの味に飽きたらお試しあれ。

《グループ2》鷹の爪、一味唐辛子、カイエンペッパー

　すべて唐辛子からできているので、どれかひとつあれば用を足せます。

《グループ3》ハーブ類

　このグループはプラスαで考えて。私はローリエとオレガノをよく使うわ。特にトマトには、必ずオレガノを合わせます。

第4章

15分ごちそう！

いつもの素材で
豪華メインディッシュ風

ホームパーティのときなんかは特に、パンパカパーン♪　という感じのメインディッシュがないと盛りあがらないのよね。気の利いたつまみで座を温めて、主役登場！　みたいな感じ。ちなみに、より段取り上手になると、メイン料理ができるのを待つ間に、その前の調理に使った洗い物をすませられるようになるのよ。

見た目が華やかなごちそう

メインになるつまみ

満腹感・満足感のあるつまみ

ずばり、この章ではメインディッシュになる料理(&メインに添えるといいつまみ)です。

調理時間は15分～45分。何？　そんなに待てない？

そのときのために1～3章のつまみがあるんじゃないの。


「オーブンにおまかせ」「鍋におまかせ」


の料理がほとんどだから、飲みながらできあがるのを待てば、ちょうどいいはず。

ほろ酔いの盛りあがったところでメイン登場！

ふふふ、この辺りがこなれてると**「段取り上手」と呼ばれちゃう**のよね。


絵になる得意料理のレパートリーは、武器になるわよ。

ダイナミックで旨い！

豚バラはちみつ焼き

405kcal
（1人分を豚肩ブロック1／3パックとして計算）

豚肉を角切りサイズにすれば
フライパンでも作れるわ。
その場合は、はちみつが焦げやすいので、
最後に回しかけて豚肉に
よくからむまで弱火で仕あげて

材料

豚肩ブロック…1パック、はちみつ…大さじ5程度
塩・こしょう…適宜

① 豚肉に塩・こしょうとはちみつをすりこむ。

② ①を200℃のオーブンで30分焼く。そのまま10分くらい余熱を回すとベター。

※あればローズマリーを散らして焼くのもおすすめ。

鮭のごちそう焼き

卵×マヨでグレードアップ！

309kcal
（材料の分量）

Point 1

卵はボウルの中でスプーンで崩して、マヨネーズと和えて。

Point 2

ここではガスコンロのグリルを使いました。オーブントースターよりかなりはやく仕あがります。火力が強いので、弱火で5分もあれば大丈夫でしょう。

材料

鮭の切り身…1切れ
ゆで卵…1/2個
マヨネーズ…大さじ2～3
パセリのみじん切り…小さじ山盛り1
塩・こしょう…適宜

① ゆで卵はスプーンであらくつぶしながらマヨネーズ、パセリのみじん切りと和える。

② 鮭に塩・こしょうする。

③ ①を②にのせ、オーブンかオーブントースターで8分焼く。

フライパンで5分！

ラム肉のハーブグリル

318kcal
（写真の分量、ラム肉のみ）

① ローズマリーをはさみで1㎝くらいに切り、塩と混ぜておく。

② ラムチョップに①をまぶしつけ、少量のオリーブオイルを引いたフライパンで強火～中火で焼く。

※塩とローズマリーは市販のハーブソルトで代用してもOK。

ラムは焼きすぎるとパサパサになるから、余熱で火を通すつもりで、表面に焼き色がついたら引きあげてね。切ったときに中がピンク色の状態がベスト

Point 1

ローズマリーと塩の比率はこのくらいで。塩のよしあしは味を左右するから天然塩をね。

Point 2

サイドもこのようにフライパンの面にあてること。骨のきわの焼きづらい部分は、最後にフライパンを傾けて油をスプーンですくって、かけながら焼きあげるべし。

材料

ラムチョップ…食べたいだけ
塩・ローズマリー・オリーブオイル…適宜

表面はカリカリ、中はもちもち

じゃがいものもっちりガレット

430kcal（写真の分量）

Point 1

お肉は味を均一にするために、下味をつけておくといいわ。今回のしゃぶしゃぶ肉のように火の通りがはやいものは特にこのひと手間を惜しまないで。

Point 2

千切りのじゃがいもがバラバラにならないようにフライ返しで押しつけながら焼くといいわ。パンケーキのような仕あがりが目標。

材料

じゃがいも…1～2個
塩・こしょう・バター（オリーブオイルでも可）…適宜
牛肉（しゃぶしゃぶ用薄切り肉）…適宜

① じゃがいもの皮をむき、芽を取り、千切りにする。塩で軽く下味をつける。

② フライパンに油を塗り、①を広げて中火から弱火で両面を焼く。

③ 牛肉に塩・こしょうで下味をつけ、熱したフライパンにバターか油を入れて、両面をさっと焼く。

④ ②と③を盛りつけて完成！

カラダが芯から温まる！

カブと豚肉のシンプルポトフ

358kcal（1人分をカブ1／2個分として計算）

①スペアリブにきつめに塩をふって、常温で10分以上置く。

②カブとニンジンは洗って食べやすい大きさ（カブは大きさによって1／8～1／4くらい）に切る。

③①から出た水分を取り、②と一緒に材料がかぶるくらいの水を入れて煮る。

④火が通ったら塩味を調整してできあがり！

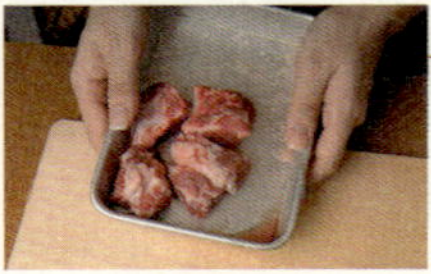

Point 1

あらかじめ塩をするのは、塩の浸透圧を利用して、肉の水分とともにくさみを抜くのが目的。必ず「常温」で置いておくこと。

Point 2

カブは皮つきでOK。ただし、葉の根元に砂がたまりやすいので注意して。後は材料を入れて煮込むだけ。カブやニンジンに串をさしてみて、スッと通ればできあがり。

材料

カブ…2個、ニンジン…1／2本、塩…適宜
豚スペアリブ…100～200g（肩肉の角切りでもOK）

牛豚鶏のコンビネーション！

ミックスステーキ

394kcal
（1人分を各肉50gずつとして計算）

①肉を2㎝くらいの角切りにする。

②①をレモン汁と塩・こしょうで和える。

③熱したフライパンに油を少々引き、②を炒める。肉の表面がこんがりしたらできあがり！

※牛、豚はシチュー用として売っている肉、鶏はモモ肉や胸肉がおすすめ。

肉を混ぜるなんて「エー!?」って感じかもしれないけど、これが案外あなどれないの。南米ではよくある調理スタイルらしいわ

Point 1

塩・こしょうとレモン汁をもみ込んだら、できれば20分以上つけておいて。風味がよくなるだけでなく、酸の力でお肉も柔らかくなります。

Point 2

お肉が大きすぎると生焼けになりやすいので気をつけて。親指の第1関節から先くらいの大きさを目安にするといいわね。

材料

牛肉・豚肉・鶏肉…各100g
レモン汁…1個分（ライムでも可）、塩・こしょう・油…適宜

冷めてもおいしい優秀メニュー

ゴーヤと豚の梅しょうゆ

267kcal
（材料の分量）

①梅干しは種を抜き、しょうゆとよく混ぜ合わせる。

②ゴーヤは縦半分に割り、わたと種を取りのぞき、2～3㎜幅に切る。

③豚バラ肉を食べやすい大きさに切り、軽く塩をふってフライパンで炒める。

④豚バラ肉の脂が出てきたら、②を加え、炒める。

⑤全体に火が通ったら火を止め、①のタレを回しかける。ちぎったのりを添えて完成！

Point 1

ゴーヤの種とわたは、スプーンでかき取るか、こうして指や爪で取りのぞくといいわ。

Point 2

梅としょうゆは、しっかり混ぜておくこと。これが仕あがりを左右します。ここに煮切り酒（酒を沸騰させたもの）を大さじ1加えると格別の味に!

材料

ゴーヤ…1／2本、豚バラ肉…2～3切れ、塩・のり…適宜
梅干し…1個、しょうゆ…大さじ1

「料理上手」に見える技アリの一品

鰯《いわし》のハイカラロール

298kcal
(写真の分量)

① 鰯の開きは軽く洗って塩・こしょうし、マスタードを塗る。

② 鰯の腹から尾に向かって巻き、ようじでとめる。

③ パン粉と茶葉を混ぜてふりかけ、15分くらいオーブントースターで焼く。

※マスタードの代わりに梅肉を使うと和風に!

Point 1

マスタードの量はこんな感じ。鰯を丸めたときに、はみださないぎりぎりの量をたっぷり塗っちゃって。ようじでとめるときは、尾を下にした方が安定感が出ます。

Point 2

緑茶の葉が大きめのときは、もみほぐしながらふりかけて。パン粉と茶葉をふりかけるプロセスは、耐熱容器の上で直接行えば洗い物が減るわよね。

材料

鰯の開き…食べたいだけ
マスタード・塩・こしょう…適宜
パン粉・緑茶の葉…少々

飲み残しの赤ワインでごちそうつまみ!

豚のワイン煮

344kcal
(1人分を豚肩肉1/3ブロック分として計算)

Point 1

このくらいまで火が通ったらワインを加える。プルーンのおかげで栄養バランスも◎。

Point 2

プルーンの甘みがソースをおいしくします。赤ワインが足りなければ水を足してもいいわ。

※コクのあるソースにしたい人は、豚肉とたまねぎを取り出した後、とろみがつくまで汁を煮詰め、バターを加えるとフランス料理風に!

材料

豚肩肉…1ブロック(約400〜500gくらい、バラ肉、スペアリブでも可)
たまねぎ…1/2〜1個、ドライプルーン…6〜7個
赤ワイン…約2カップ、ローリエ(あれば)…1枚
タイム・オレガノ(あれば)…ひとつまみずつ、塩…少々

①豚肉はぶつ切りにして軽く塩をふり、たまねぎはざく切りにする。

②鍋に分量外の油を少し引き、たまねぎと豚肉を（あればローリエとタイム、オレガノも）炒める。

③豚肉の表面の色が変わり、たまねぎが透き通ったらプルーンを入れ、材料がひたひたになるくらい赤ワインを注ぐ。

④フタをして、豚肉が柔らかくなるまで約20分ほど（肉の大きさによる）煮込む。プルーンは煮崩れさせること。

究極の「楽チン料理」

たまねぎ焼いただけ

176kcal
（1人分をたまねぎ1個分として計算）

Point

焼きあがりの目安は、皮がこのくらい焦げていること。汁が出て、焦げて天板にこびりつくから、ホイルかオーブンシートを敷いておいて。

オーブンにまかせれば
OKよ～

材料

たまねぎ…食べたいだけ
バター・しょうゆ…適宜

① たまねぎを皮つきのまま、オーブンシートまたはアルミホイルを敷いた天板に並べる。

② オーブンで30分を目安に加熱する。オーブンレンジでOK。竹串やフォークをさしてすっと通れば火が通った証拠。

③ 半分に割って、かたい皮を取りのぞいてバターをのせ、しょうゆ、またはお好みの調味料でめしあがれ。

※味つけはゆずこしょうもおすすめ！
4つ割りにして、フレンチドレッシングやチーズで和えてもいいサラダに。

コラーゲンたっぷり！

手羽先の香味焼き

341kcal
（写真の分量）

①手羽先に多めに塩をして、常温で20分以上置いておく。

②湯を沸かし、①を5分間ゆでる。

③②の水を切り、山椒《さんしょう》をふって両面をグリルで焼く。

Point 1

焼く前に下ゆですると、生焼けにならないわ。

Point 2

油を落としながら皮目をカリッと仕あげるには、グリルが便利。グリルがない人は、油を少々引いてフライパンでカリカリに焼いてね。

■材料■

手羽先…食べたいだけ
塩・山椒…適宜

とろけるバターのコク
チキンソテーバターしょうゆ

599kcal
(材料の分量)

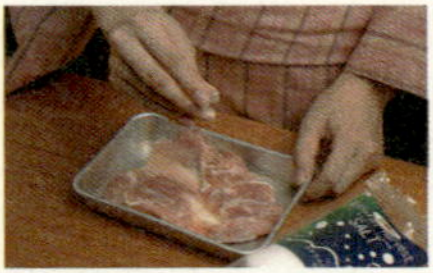

Point 1

鶏肉は、焼く前に軽く塩で下味をつけておくと、味が均一になるし鶏の旨みが引き出せるの。

Point 2

皮目にきれいな焦げ目がついたら、最後の仕あげ。しょうゆを回し入れたらすぐに火を止めてね。余熱で十分香りが立つわ。

材料

鶏モモ肉…1枚
まいたけ…1パック
塩・バター…適宜
サラダ油・しょうゆ…大さじ1

① 鶏モモ肉に塩で下味をつける。まいたけを食べやすい大きさにちぎる。

② フライパンに油を引き、中火でモモ肉の皮目から焼く。

③ 皮目がきつね色になったらひっくり返し、まいたけを入れ、弱火にしてフライパンにフタをする。

④ 3分ほどして肉に火が通ったら、しょうゆを回し入れてすぐに火を止める。

⑤ 皿に盛りつけ、バターを添えてどうぞ。お好みでこしょうをかけてもOK。

ホッとする味わい

じゃがいもの白味噌ミルク炊き

319kcal
（材料の分量）

① じゃがいもはよく洗い、水気を切らずにビニール袋に入れてレンジ強で3分加熱。

② 大きめのフォークに①のじゃがいもをさして、皮をむく。

③ 牛乳に白味噌を溶かしながら弱火にかける。

④ ②のじゃがいもを③に入れて、4つくらいに崩す。煮立ったらできあがり！

※バターや山椒《さんしょう》、黒こしょうなどをトッピングするのもおすすめ！

Point 1

熱々のじゃがいもは、フォークにさすと皮がむきやすいの。たくさん作りたければじゃがいも3個でレンジ5分、裏返して3分が加熱の目安。

Point 2

白味噌はあらかじめ七分通り牛乳に溶いておくこと。味噌も牛乳も焦げやすいので、気をつけてね。くれぐれも強火は厳禁!

■材料■

じゃがいも…1個
牛乳…200cc
白味噌…大さじ2

お酒もごはんも進んじゃう！

鶏のゆずこしょう焼き

262kcal
（1人分を鶏モモ肉1／2枚分として計算）

Point 1

鶏肉に切れ目を入れておくのは、ゆずこしょうをよくなじませるためと、火の通りをよくするため。筋も切れるから食べやすくなるわ。

Point 2

皮が縮んで盛りあがってきたらひっくり返すサイン。返すまでは中火〜弱火でじっくり焼くこと。鶏の旨みが詰まった油は、全部しいたけに吸わせてね。

※鶏の旨みが勝負の料理だから、
ブロイラーよりは地鶏をおすすめしたいわ。

材料

鶏モモ肉…1枚、しいたけ…4個
ゆずこしょう…小さじ1／2
サラダ油…少々

① しいたけはいしづき（根元のかたい部分）を取って半分に切る。

② 鶏肉は裏（皮目でない方）に5〜8㎜間隔で切れ目を入れ、ゆずこしょうをまぶす。

③ フライパンにサラダ油を引いて、鶏肉を皮目から焼く。しいたけは断面がフライパンに接するように入れておく。

④ 鶏肉の皮がきつね色になったら裏返す。フタをして、弱火でじっくり焼いていく。

梅とバターのいい仕事

梅バターポーク

296kcal
（1人分を豚肉スライス2枚分として計算）

Point 1

下味は梅肉のみ。いろいろ試した結果、梅干しはシソの入っていない方が合うみたいね。

Point 2

バターを使うと、サラダ油のときより焦げやすくなるので、火加減に注意してね。バターと梅肉がしっかりなじんで、おいしそうな焦げ目がついたらできあがり!

材料

豚肉スライス（厚め）…食べたいだけ
梅肉…梅干し1～2個分
バター・こしょう…適宜

① 豚肉に、梅肉で下味をつける。

② フライパンにバターを溶かし、①を焼く。お好みでこしょうをふる。

フライパンでお手軽に！
サンマのイタリアン

479kcal（材料の分量）

Point 1

包丁を入れる前にフライパンに入る大きさをチェックして。サンマが大きければ3等分にするなど臨機応変に。サンマは内臓もおいしいので、新鮮なものを選んでね。

Point 2

ニンニクは弱火でじっくり火を通すと油に香りが移り、ニンニク自体もカリカリに仕あがるの。ニンニクの芯は特に焦げやすいので、できれば外しておいた方がいいわね。

材料

サンマ…1尾、オレガノ（あれば）…ひとつまみ
塩・オリーブオイル…適宜
プチトマト…10個（切り分けたトマト1個でも可）
ニンニク…ひとかけ、鷹の爪（あれば）…1本

①　サンマは２つに切り、塩とオレガノをふっておく。

②　フライパンにオリーブオイルを引き、ニンニクのスライスと鷹の爪を入れ、弱火で香りを出す。

③　ニンニクを取り出し、サンマを入れ、両面を焼く。

④　ヘタを取ったトマトを③に入れ、軽く焼く。塩加減をみて、調整し、盛りつける。③のニンニクをトッピングすればできあがり。

マスタードが隠し味!

豚とじゃがいものガレット

136kcal
（1人分を材料の1／6量として計算）

Point 1

じゃがいもを並べたら軽くぎゅぎゅっと押さえてね。焼きあがりは、豚バラ肉の脂が全体に回ってガレットの底の部分にほどよい焦げ目がついているのが理想。

Point 2

盛りつけは、フライパンにひと回り大きな皿を伏せて、手のひら全体で押さえ、フライパンごとひっくり返します。

ビールとの相性が◎。いわば
「じゃがいもと豚肉で作る
ミルフィーユケーキ」よね

■材料■

じゃがいも…大2個、マスタード…大さじ2
豚バラ肉スライス…100g、溶けるチーズ…1／2カップ
塩・こしょう・油…適宜

① 豚バラ肉は3㎝に切り、ややきつめに塩・こしょうしておく。

② じゃがいもの皮をむいて薄切りにする。

③ フライパンに薄く油を引き、じゃがいもの半量を敷き詰め、豚バラ肉を並べてマスタードを塗る。

④ 残りのじゃがいもを敷き詰め、チーズをふる。

⑤ きっちりとフタをして弱火で15〜20分ほど焼く。竹串がすっと通ればOK。

※和歌ネエは皮をむかずに作ることも……。

※じゃがいもは半分に切ってから薄切りにすると安定するわよ。薄切りにはスライサーも便利ね。

ビストロ気分を自宅で楽しむ！

鶏の果汁焼き

495kcal
（材料の分量）

①鶏肉の皮を下にし、肉に隠し包丁を入れ、塩、こしょう、タイムをなじませる。レモンを切る。

②フライパンにサラダ油をほんの少したらし、強火～中火で皮目から焼いていく。

③皮がパリッと焼けたら裏返し、中火にして水50ccを入れ、レモンをしぼり入れる。しぼった後の皮もフライパンに入れる。

④水気が少なくなったら、汁を全体にからめるように。レモンを飾ってできあがり！

Point 1

レモンは皮のまま使うので、切る前に必ず、スポンジを使ってよくこすり洗いをして。

Point 2

隠し包丁とは、火を通りやすくするために、浅く切れ目を入れること。1cm幅を目安に切れ目を入れればOK。

■材料■

鶏モモ肉…1枚
塩・こしょう…適宜
レモン…1個
タイム（あればドライのもの）…ひとつまみ

フライパンでいろいろ野菜
夏野菜のバーベキュー

99kcal
（写真の分量）

Point 1

手に油をつけて、野菜になじませていけば簡単。油と塩はあくまで野菜の味を引き出すわき役と心得て。

Point 2

フライパンでじっくり火を通します。オーブンで加熱してもOKよ。

材料

夏野菜…適宜
塩・油（オリーブオイルがおすすめ。サラダ油、ゴマ油でもOK）…適宜

① 野菜を3〜5mm程度の厚さに切る。

② 油を①に薄く塗り、塩で軽く下味をつける。

③ 中火で熱したフライパンに②を並べ、中火〜弱火で両面に焦げ目がつくまで焼く。

ギョウザの皮を使って

オリーブとマッシュルームのミニクレープ

216kcal（写真の分量）

① Aをすべてみじん切りにして和える。

② ギョウザの皮に①をのせ、四角くなるように折りたたみ、指先で押さえてとめる。

③ フライパンに少量の油を引き、②を並べ、大さじ1～2の湯を鍋はだから注ぎ入れ、フタをして焼きあげる。

※ギョウザの皮がうまくとまらないときは、ちょっとだけ水をつけてみて。

Point 1

具はまとめて刻んでしまえば簡単ね。具の配合率はお好みに合わせて変えてOK。

Point 2

焼くときはこんな感じ。ギョウザの皮は水分を含まないとおいしくならないので、焼くときに水かお湯を足して、ふっくらと仕あげてね。皮がもちもちバリッと仕あがれば大成功!

材料

ギョウザの皮…食べたいだけ
A（オリーブ・ベーコン・マッシュルームを各々同じ程度の量、お好みでパルメザンチーズ）
油…適宜

「ただいま」から15分でできちゃう!

キャベツとソーセージのポトフ

265kcal
(材料の分量)

① キャベツはくし形になるよう縦に包丁を入れ、2~3等分する。

② 鍋に①とソーセージを入れ、塩・こしょうし、水を加え、フタをして中火で5分煮る。

※様子をみて、足りないようなら途中で水を足してもOK!

Point 1

塩を入れるとキャベツからも水分が出るから水は控えめでOK。

Point 2

これで煮るだけなの。キャベツは火が通りやすいからすぐ食べることができるわ。ほかに野菜を加えるなら、火の通りのはやいカブがおすすめ。コーン缶というのもありね。

材料

キャベツ…1/4個、ソーセージ…3~5本
水…100cc、塩・こしょう…適宜

口の中に広がる風流な味わい

鶏ささみの紅白梅焼き

182kcal
（材料の分量）

Point 1

ささみの調理をするときは筋取りが欠かせないわ。包丁で押さえながら筋を引っ張って取り出すの。

Point 2

味噌をのせすぎるとしょっぱくなっちゃうから気をつけて。ほんのり梅の色がにじむくらいでOK!

材料

鶏ささみ肉…2本、梅肉…梅干し2個分
西京味噌（白味噌でも可）…大さじ1
みりん（なければ日本酒）…大さじ2

① 味噌とみりんは合わせて溶かしておく。溶きにくかったら、レンジで10〜20秒加熱するとうまくいくはず。

② ささみの筋取りをし、筋を外した線にそって軽めに包丁をあて、ささみを開く。

③ 梅肉と①をささみに塗り、グリルで焼く。味噌が焦げそうなら、途中でアルミホイルをのせればOK。

※味噌はとても焦げやすい食材。あっという間に黒焦げになるから気をつけてね。

野菜不足を感じたら……

白菜の中華風ミルク炊き

136kcal
（1人分を材料の1／2量として計算）

① 白菜をざく切りにして鍋に入れる。中華だしと水を少し加えて（100ccくらい）、フタをして加熱。

② 白菜に8割方火が通ったら、牛乳を加えて、沸騰したら火を止める。

③ 器に盛って、ナッツと五《ご》香粉《こうふん》（またはナツメグ）を添えてめしあがれ！

たっぷりの食物繊維で
腸がキレイになりそうね

Point 1

白菜を煮るときは、水は少なめに。中華だしの塩気でどんどん水分が出てきます。こうやってできたスープは野菜の旨みをたっぷり含んでおいしいのよ。

Point 2

牛乳は仕あげに入れてね。ひと煮立ちしたら火を止めていいわ。とろみが欲しければここで水溶き片栗粉を加えて混ぜてもOK。スパイス類はこしょうでも代用できます。

材料

白菜…8分の1玉
中華だし…大さじ1
牛乳…カップ1〜1.5
砕いたナッツ類（あれば）…適宜
五香粉かナツメグ（あれば）…適宜

干物をパーティー料理に

干物のエスニックグリル

488kcal
（材料の分量）

Point

オーブンで干物を焼く前にタレを作ってしまうこと。ライムの香りとネギの風味が合わさって、さわやかで食欲を増す味に。

※干物に塩味がついているから、タレの塩気は控えめがポイント。

材料

干物（キンキ、えぼ鯛《だい》、甘鯛などがおすすめ）…１枚
白ネギ…20 ㎝
パクチー…適宜
ニンニク・ショウガ…１かけ
ライム…１個
ピーナッツ…ひとつかみ
A（カイエンペッパー・ナンプラー…少々、
砂糖・ゴマ油…大さじ２）

① 白ネギを斜めにスライスして水にさらしておく。パクチーは食べやすい大きさにちぎる。

② ショウガ、皮をむいたニンニクを薄くスライスする。その後、ショウガは細切りに。

③ ライムをしぼり、Aと合わせてタレを作る。

④ 干物を焼く。

⑤ 干物の上に①②③と刻んだピーナッツをかけてできあがり！

ツナで作る「南欧風肉じゃが」

ツナとじゃがいもの地中海風

206kcal
（1人分を材料の1／3量として計算）

①
じゃがいもは洗って芽を取り4～6つに切る。皮がついたままでもOK。たまねぎは皮をむいて4～6つに切る。

②
鍋にオリーブオイルを引き、スライスしたニンニクと鷹の爪、①のたまねぎを入れ軽く炒める。

③
②に①のじゃがいもとツナ、オリーブ、レモン、ハーブ類、こしょうを入れる。白ワインまたは水を入れてひと煮立ちさせ、フタをして弱火で10分煮る。

Point 1

面倒くさければ、②の炒めのプロセスを省いて、このように材料をすべて入れて加熱してもOK。ただし、ワインを入れた場合はフタをあけてアルコールを飛ばすこと。

Point 2

レモンはしぼりながら入れて、皮もそのまま煮てしまうの。ただし、表面はよく洗ってね。

材料

じゃがいも…2個、たまねぎ…1／2個、ツナ缶…1缶、レモン…1／2個
オリーブ…6～7粒、オリーブオイル…適宜、白ワインまたは水…100cc
ニンニク（あれば）…1かけ、鷹の爪…1本
こしょう・タイム・オレガノ…少々

酒肴道場コラム4

レンジと冷凍庫は使いよう

【電子レンジ】

本格的なものは難しいかもしれないけれど、コンロひと口、電子レンジ1台あれば「酒肴道場」のメニューは作れます。

特に、電子レンジはクイック調理に大活躍。『失敗しないフライドポテト』(p.111)のように、レンジで素材に火を通してから表面だけを油で焼くのはその代表ね。

下ゆで代わりにレンジを使うと、ゆでる時間や洗い物などいろんなショートカットができるので、ぜひ見直しを。食器+ラップの代わりにビニール袋を使うのもおすすめです。

【冷蔵庫】

シングルの皆さん、小さい2ドアの冷蔵庫を使ってません？

もしスペースが許すなら、なるべく大型冷蔵庫をおすすめします。なぜか？

それは冷凍庫が広いからです。

残ったお肉やお魚、まとめ炊きしたごはんの保存……皆冷凍庫にお願いしましょう。変わったところでは納豆もパックごと冷凍可能。お茶やコーヒーも風味が長持ち。ネギも刻んでフリーザーバッグに入れて冷凍しておく。まあ便利！

冷蔵庫がスカスカなら、そのへんに出ている邪魔な調味料を預かってもらってもいいのでは？　しょうゆや酢など、本当は冷蔵庫に入れなくていいけれど散らかって目ざわりならいっそ冷蔵庫を棚代わりにしちゃえばすっきりするわ（もちろん、詰め込み過ぎはＮＧなので、冷蔵品が少ない場合だけよ）。

第5章

〆の一品！

気分に合わせて、おなかに合わせて

汁っぽい炭水化物メニューって〆にもいいけど、ちょっと飲み過ぎた翌朝にもおいしいのよね。その辺のことは、酒飲みの同志の皆さんなら言わずもがなでしょうけれど。消化によくて、体を温めてくれるごはんモノは、朝食や休日の昼ごはんにもおすすめよ。

おなかいっぱいなんだけどひとくち食べたいコメ
「これは別腹なんだよね」の麺類
要するになぜか食べたくなる〆の炭水化物

〆のラーメンとお茶漬けはなぜあんなにおいしいのか？
酒飲みの皆さんが必ず言うことです。なぜかは私も知りません。
知らないけれど、体が欲しているのだから欲しいのでしょう。

そこで、パパッとおいしいメシものをご用意しました。
酒席の〆と言わずに、**普段のお食事にも十分活用できる**内容だと思うわ。

さらにスペシャルメニューとして、「三段活用鍋」もご紹介します。
これは、「R25」の別冊で紹介されたレアコンテンツ。
ひとつの鍋で3回味を変えながら楽しんでみて。

笑顔で酒席を〆たなら、明日も元気でがんばれるわ。

くれぐれも、飲み過ぎには気をつけて……

揚げ玉とエビでほぼ天丼！

かなり天丼

495kcal
（写真の分量、ごはんを150gとして計算）

① 鍋かフライパンに揚げ玉、エビ、食べやすく切った三つ葉を入れ、日本酒とめんつゆを入れてひと煮立ちさせる。

② 卵を溶いて①に流し込み、3つカウントしたら菜箸《さいばし》で〝の〟の字を書いて、火を止め、ごはんの上によそう。

※エビを、鶏肉やアサリ、かまぼこ、さつま揚げなどにかえてもOK！

Point 1

この状態で調理スタート。エビは加熱途中で返すと火の通りがスピーディ。まな板を使いたくない人は、三つ葉をキッチンばさみで切ると洗い物が減るわよ。

Point 2

卵を入れたら3つカウントし、“の”の字にかき混ぜ、即座に火を止めると、とろとろの半熟に！

材料

揚げ玉・エビ・三つ葉…適宜
卵…1個
めんつゆ…100cc（濃縮タイプは説明書き通り希釈《きしゃく》して100cc）
日本酒…少々

人気の韓国料理をおうちで

簡単チヂミ

230kcal
（1人分をニラ1／2束分として計算）

①
ニラは3㎝に切り、ほかの材料と混ぜる（タネがかたい場合は、水を追加してタネのとろみを加減する）。

②
熱したフライパンに多めに油を引き（分量外）、①の半量を流し入れて焼く。ひっくり返したらぎゅうぎゅう押しつけながら火が通るまで焼く。

③
酢としょうゆを半々に混ぜた酢じょうゆでめしあがれ。

※辛くするのなら、一味唐辛子を小さじ1入れる。

Point 1

材料を混ぜ終わったらこんな感じ。タネの粘り気はこれを目安にしてね。さらに本格派を目指すなら、じゃがいもをすりおろして混ぜ込むと、もっちりした仕あがりに。

Point 2

チヂミを焼くときのポイントは、油を多めに引くこと。油の中でちょっと泳ぐかな？　くらいの量の油を引きましょう。

材料

ニラ…1束
小麦粉…1／2カップ
卵…1個
塩…ひとつまみ
酢・しょうゆ…適宜

家飲みならではの一品

白菜のお餅炒め

385kcal
（材料の分量）

①　白菜はざく切りにして、大まかに葉と茎に分ける。

②　餅と豚バラ肉は5㎜見当で切る。

③　鍋に油を引き、千切りにしたショウガと鷹の爪、豚バラ肉、白菜のかたい部分を入れ、軽く塩をふって炒める。

④　③に白菜の葉の部分を入れ、ざっとかき混ぜ、しんなりしたら②の餅を投入。もう一度かき混ぜたらできあがり！

Point 1

白菜は、かたい部分と柔らかい部分に分けて2段階で炒めると納得の仕あがりに。余裕のある人は、かたい部分をそぎ切りにすると、よりおいしく!

Point 2

餅はじっくり圧力をかけると切りやすいはず。

■材料■

白菜…1／4個、餅…１～２個
豚バラ肉（あれば）…２切れくらい
鷹の爪（あれば）…１本
ショウガ（あれば）…ひとかけ
塩・油…適宜

いろんな味でお試しあれ！

カップスープのチーズリゾット

258kcal
（ごはん100gで計算）

トマト味以外のスープにも
トライしてね

材料

ごはん…少なめ
カップスープ…1人前
溶けるチーズ（粉チーズでも可）…適宜
パセリ（あれば）…少々

① カップスープを作る。

② ①にごはんを入れて、レンジで１～２分加熱。

③ 溶けるチーズや刻みパセリを散らして完成！

手軽にガッツリ!

スタミナ三色丼

395kcal

(ごはん150gで計算)

①納豆をかき混ぜる(しょうゆはかけない)。

②ごはんの上に①とキムチ、塩辛をトッピングして、混ぜながら食べる。

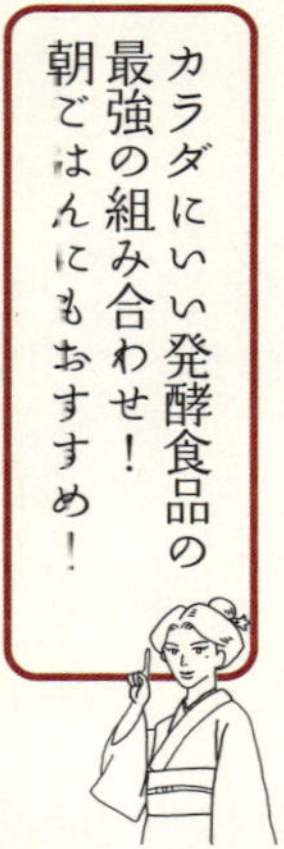
カラダにいい発酵食品の
最強の組み合わせ!
朝ごはんにもおすすめ!

材料

ごはん…適宜
納豆…1パック
キムチ・塩辛…適宜

味噌の香ばしさがたまらない

弁慶飯

339kcal
（ごはん180gで計算）

Point 1

手に味噌を広げてもう一度握り直す感覚ね。

Point 2

のりの代わりに、漬け物を使うのがミソ。

実は和歌ネエの
郷土料理です

■材料■

ごはん…食べたいだけ
青菜漬け（高菜や野沢菜でも可）…2～3枚
味噌…適宜

① 炊きあがったごはんをボウルにとり、おむすびを作る。

② 手のひらに味噌を薄く広げ、①にまぶす。

③ ②を青菜漬けでくるみ、トースターで２～３分焼く。

シンプルだけど満足度大！

ネギ玉丼

534kcal
（1人分をごはん150g、他を材料の1／2量分として計算）

Point 1

ネギのみじん切りは、最初に縦に包丁を入れて、その後、端から刻んでいけば、とっても簡単にできるわよ!

Point 2

溶き卵にゴマ油を入れるのが失敗しないための大事なコツ。卵が香りよく、しかもふんわり仕上がるわ。

電子レンジでも作れるわ。
耐熱性ボウルで１分半くらい
加熱してかき混ぜればＯＫ

■材料■

ごはん…食べたいだけ
白ネギ…15㎝
卵…３個
塩…適宜
黒ゴマ油…大さじ３

① ネギをみじん切りにする。

② 卵をボウルに割り入れ、ゴマ油と塩を入れ、かき混ぜる。

③ 熱したフライパンに①を入れ、少し炒める。

④ ③に②を一気に流し入れ、5〜10秒で卵の底に火が入ったら大きくかき混ぜ、どんぶりのごはんの上に盛る。

二日酔い予防にはこの一品！

梅生番茶のお茶漬け

193kcal
（ごはん110gで計算）

① ほうじ茶を用意する。

② ごはんに種を抜いた梅干しとおろしショウガをのせる。

③ ほうじ茶を注ぎ、しょうゆをたらし、かき混ぜてめしあがれ！

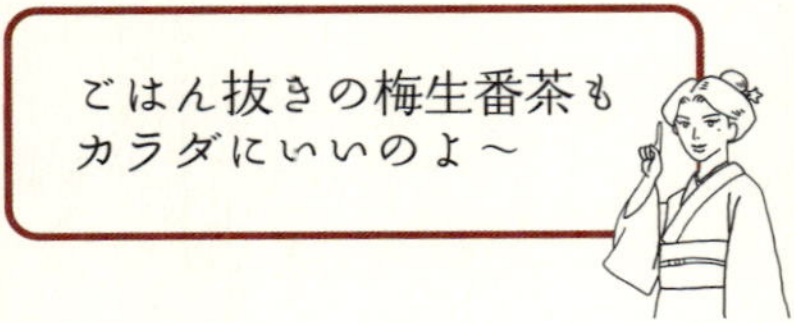

■材料■

ごはん…軽く１膳、梅干し…１個
おろしショウガ…小さじ１（チューブなら1～2㎝）
しょうゆ…小さじ１、ほうじ茶…適宜

一度の鍋《なべ》で、三度おいしい！

三段活用鍋

①134kcal
②259kcal
③488kcal
（すべて写真の1／2量で計算。
③は卵・ごはんを含む）

1 切り干し大根でカキ鍋

［材料］
日本酒…カップ1
切り干し大根…1袋
昆布茶…付属の小さじで2～3杯
カキ（加熱用）…食べたいだけ
ポン酢…適宜

［作り方］
①切り干し大根を水洗いし、土鍋に昆布茶と日本酒とともに入れ、水を多めに入れる。
②鍋を火にかけて、沸騰したらカキを投入。

2 鱈《たら》と白《しら》子《こ》で豆乳鍋

［材料］

豆乳、鱈、豆腐…適宜

［作り方］

カキがなくなったら、鱈と白子を入れて、煮えたところで豆乳を注ぐ。

3 〆はキムチで韓流鍋

［材料］

ペチュキムチ（白菜キムチ）…適宜

［作り方］

ペチュキムチを入れ、お好みで、卵、ごはん、うどん、餅などを追加投入。

酒肴道場コラム5

ゴミを買うの、やめましょう

「一人暮らしで自炊は無駄だ、コストもかかる」って言う人、いるわよね。そういう人に限って、料理をしよう！　と思うと何でも買っちゃって、翌週あたり生ゴミを抱えてイヤーな気持ちになってるの。

狭い部屋に腐った生ゴミがあったらサイアクよね。生ゴミは、本当にイヤ。だから……

「全部そろえなくちゃ」と思わないで！

割高でも小さいポーションを選んで！

使い切れない食材はたいてい捨てることになるでしょ。

にんじんが1本80円、3本で150円だったとします。家族が多くてやりくり上手の主婦なら3本を買ってもいいの。でも、一人暮らしの人なら1本を買う勇気を持ちましょう。3本買いすると少なくとも1本、下手すると2本腐らせる可能性が高い。どんなにお得に見えてもそれはゴミにお金を出してるってこと。今時ゴミを処理するのだってお金がかかるんだから。それに……にんじんの腐ったのはすっっっごい臭いわよ～（経験者談）。

書いてあるものを全部そろえるのも、ムダを作る第一歩。

「これ抜きでも作れるかな？」と思ったら抜いて作ってみるくらいの気持ちでOKです。和歌ネエレシピには「あれば」とか「食べたいだけ」とか書いてあることが多いけど、そういうことなのよ。

レジを通す前にゴミを買っていないか、もう一度チェックして！

生ゴミを減らすもう一つの方法は、皮付きで調理するってこと。残留農薬が心配なら、有機栽培の野菜を買うのもひとつの方法だと思います。

おわりに――
「旨いものが食べたい」酒飲みゴコロをくすぐる一冊！

「酒肴道場」は、首都圏で60万人のサラリーマンの皆さんに愛されている『R25』に掲載された料理記事です。

私は料理のプロではありません。もともとは編集後記の「BAR25」で出していたバーチャルお通しが編集長の目に留まり、リアルお通し＝酒肴の連載をすることになりました。なんというか、純粋な食い意地とものぐさがきっかけなのです。

料理経験のない若いサラリーマンでも作れるつまみというテーマで連載を始めてみると、思いがけず一人暮らしの働く女性や主婦、そしてミドルエイジのおじさまたちにも支持していただけることがわかりました。

「面倒くさいことはしたくないけれど、旨いものが食べたい」そんな酒飲みゴコロが通じ合ったのではないかと思っています。

ついに一冊にまとめていただくことになりました。ここで新たな晩酌好きの皆さんと出会えれば幸いです。

最後に「酒肴道場」を支持してくださったR25読者のみなさん、連載のきっかけをくださったリクルートの藤井大輔さん、歴代担当者の相馬由子さん、鈴木大介さん、島雄輝さん、佐伯貴史さん、「チーム酒肴」カメラマン大久保聡さん、スタイリストのたかはしよしこさん、飲み友達のみんな、アドバイスをくださった野村さん、鍋田さん、そして酒飲みの心得を伝授してくれた亡き祖父に感謝いたします。

Waka★

R25[アールニジュウゴ] 酒《しゅ》肴《こう》道《どう》場《じょう》

[索引(素材別)]

肉類・加工品

魚介類・加工品

本書は、リクルート発行の『R25』の連載「酒肴道場」(二〇〇五年一月〜二〇〇八年六月)を再編集したものです。

R《アール》 25「酒《しゆ》肴《こう》道場《どうじよう》」

著者　荻原和歌（おぎわら・わか）
発行者　押鐘太陽
発行所　株式会社三笠書房
〒102-0072 東京都千代田区飯田橋3-3-1
電話　03-5226-5734（営業部）03-5226-5731（編集部）
http://www.mikasashobo.co.jp
印刷　誠宏印刷
製本　宮田製本

 ISBN978-4-8379-6465-0 C0177

落丁・乱丁本は当社営業部宛にお送りください。お取替えいたします。
定価・発行日はカバーに表示してあります。

王様文庫

王様文庫

「しぐさ」を見れば心の9割がわかる！

渋谷昌三

言葉、視線、声、手の動き、座り方……ちょっとしたコツがわかれば、相手の心理を見抜くのはとても簡単なこと。人望のある人、仕事のできる人、いい恋をしている人はもう気づいている!? 〝深層心理〟を見抜く方法！

下半身からみるみるやせる腰回し！ ダイエット

SHINO

効果は55万人が実証済み。ウエスト8㎝減なのにバストがB→Dに大躍進という人も。女性ホルモンが安定するから、美脚も美肌も、理想の恋愛も手に入る。ウエスト86㎝→56㎝を実現した著者が明かす、女性の夢を〝すべて〟叶えてくれる1冊。まるで〝マジック〟！ 強運もついてくる！

手相術 自分の運命が一瞬でわかる

高山東明

なぜ幸せな人ほど、手相をみるのか？ 恋愛・仕事・お金・健康・才能…人生がガラリ好転する方法とは？ 藤原紀香さん・ヨン様・故ダイアナ妃、松坂大輔選手、宮里藍選手、石川遼選手や各界の大物50万人を占った東明先生の、あなたのためのアドバイス！ この面白さ、詳しさは圧倒的！

怖いくらい当たる「血液型」の本

長田時彦

A型は几帳面、O型はおおらか――その〝一般常識〟は、かならずしも正確ではありません！ でも、一見そう見えてしまう納得の理由が〝血液型〟にはあるのです。血液型の本当の特徴を知れば、相手との相性から人付き合いの方法までまるわかり！ 思わずドキっとする〝人間分析〟の本。

K40040